C000089007

École, terrain miné

Carole Diamant

École, terrain miné

LIANA LEVI *piccolo*

Remerciements

C'est à partir du livre *Histoire de l'Autre*, dirigé par Dan Bar On et Sami Adwan, qu'est née l'idée d'écrire ce témoignage. Je devrais à cet exceptionnel ouvrage l'espoir – presque concret – de voir un jour partager la parole israélienne et palestinienne. Je lui devrais aussi l'une des plus importantes rencontres de mon existence, celle de Liana Levi, sans qui rien de tout cela ne serait arrivé.

C'est la reconnaissance mais aussi la tendresse qui dictent ces remerciements toujours trop formels, insuffisants.

Avec, par ordre d'apparition :

Marie-Martine pour le premier signe, Tania pour sa présence et son constant soutien, Jean-François et son attentive et drolatique sensibilité, Nadia pour la finesse de sa lecture analytique et enfin Arnaud pour son chaleureux enthousiasme.

Merci aussi à Cyril pour l'élégance et la délicatesse de son regard critique. Il m'a permis de dépasser nombre de remarques et d'intuitions qui, sans lui, seraient restées inabouties.

Je dois également de sincères remerciements à mes amis d'été, sans qui les premières pages auraient été trop lourdes.

Qu'ils sachent tous que, sans eux, cent fois j'aurais renoncé.

À mes élèves,
À Djémoal, aux miens

Introduction

Rien de ce qui est humain ne m'est étranger.
Térence

Tenter de dire. Risquer de formuler ce qui me taraude depuis quelque temps et que j'échoue sans cesse à nommer. Par peur de briser, de détruire le fil fragile qui tisse les rapports multiformes entre EUX et MOI. Une peur comme une araignée noire qui, peu à peu, prendrait au piège l'élan et la confiance sans laquelle aucune transmission véritable n'est possible.

Quelle est cette inquiétude ? Ce malaise en forme de silence ? Rien d'autre, peut-être, que de l'ennui. Un ennui tel que l'esprit des élèves vagabonderait, comme il l'a toujours fait, errant entre conscience et rêverie. Pourtant, je sais cet ennui, je l'ai bien connu lorsque j'étais moi-même élève. Toutes ces heures égrenées à attendre patiemment que s'achève ce cours-ci, qui sera inéluctablement suivi d'un autre, puis d'un autre encore, et ainsi jusqu'à l'infini. Jour après jour, les discours se fondent et se confondent. C'est à peine si le cours de mathématiques se distingue du cours d'histoire tant ils s'enchaînent l'un à l'autre pour former, non plus « l'arbre du savoir » aux multiples branches, mais un magma, un galimatias, un salmigondis informe, plaçant l'adolescent en «échec scolaire», selon l'expression plus ou moins aseptisée qui signifie, en réalité, point de salut pour celui-là : «incapable de suivre, à dégager».

Les élèves, du reste, n'ont pas le monopole de cet ennui, de cette lassitude où trop souvent leurs professeurs les rejoignent.

D'où est-ce que je parle ? Qui suis-je devenue pour être blessée à ce point par une écoute qui vacille ?

Confusément, je sais qu'il s'agit d'autre chose, ce n'est pas ce vieil ennui qui m'inquiète aujourd'hui. Ce que j'éprouve est plus sourd et cherche à se faire oublier.

Ce qui me pousse à écrire, pour témoigner, c'est l'impression obscure et confuse que, depuis trois ou quatre ans, je traverse une époque blessée, barrée, en gestation. Une période suspendue entre deux actes dont nos classes ne sont peut-être que la préfiguration, l'alerte discrète, secrète, dissimulée.

Une situation transitoire

J'ai bien conscience de vouloir dire ce temps fragile, transitoire, toujours court dans l'histoire, où quelque chose se prépare, va basculer, aussi bien chez les enseignants que chez les enseignés.

Les grands changements ne naissent pas en un jour. C'est de ce temps-là que je suis conduite à parler. Ce temps dont on ne dit rien ou si peu parce qu'il ne s'y passe rien de spectaculaire. Ce temps intermédiaire, crucial et obscur, c'est-à-dire indéchiffrable, illisible et énigmatique.

Le 22 mars 1968 à Nanterre n'explique pas la « révolution » de mai. Deux ans, cinq ans, dix ans avant, les étudiants lisaient Illich, Reich, Marcuse, Marx et Mao. Bataille aussi. *Idem* pour l'autre Révolution, la vraie. Voltaire, Montesquieu, Rousseau n'ont pas écrit en 1789. Lentement, leur pensée s'est répandue d'abord chez les aristocrates lettrés, puis chez les roturiers éclairés, semant quelques troubles, préparant le terrain, fabriquant un terreau propice à l'action. Faudra-t-il voir venir le temps des affrontements directs ?

Peut-être pas… Ce peut être une autre révolution qui se profile, plus douce d'abord, plus discrète, plus insidieuse aussi. Assez puissante pourtant pour modifier durablement les valeurs et les comportements et me laisser sur le bord de la route. Témoin impuissant, j'observe, je ne comprends pas toujours, je cherche.

Les auteurs d'aujourd'hui peuvent-ils être qualifiés de « penseurs » ? Que veulent-ils, ceux dont on parle, ceux qui s'adressent aux plus fragiles, aux plus inquiets d'entre nous, les Ramadan, les Finkielkraut – même s'ils sont très différents du point de vue des objectifs aussi bien que des méthodes ? Sont-ils réellement lus par les jeunes gens ou leurs opinions sont-elles répandues par l'intermédiaire de la presse ? Les journalistes les lisent-ils eux-mêmes ou se contentent-ils d'interviews au fil desquelles ils distillent petites phrases et slogans, ne conservant que ce qui valorise, adoucit ou exagère leur pensée ?

Jamais personne ne sait ou ne prévoit les conséquences de ces discours, d'abord subreptices et troublants, parfois carrément subversifs.

Aucun savant observateur n'a anticipé ces grands soulèvements qui peuvent apparaître comme brutaux et spontanés, mais qui ne surgissent qu'après une lente maturation.

Le temps impatient

Entre la Révolution française et notre époque, la temporalité n'est plus la même. La durée s'accélère, les idées se répandent plus vite, en deçà même du temps de l'édition, de la lecture des livres ou des journaux. Celui de l'image sans légende, instantané *plus vrai que nature*, emporte l'émotion, l'assentiment, la conviction, puis la mobilisation ; celui du slogan aussi. Avec ou sans juste raison.

Le temps médiatique se substitue à celui de l'histoire, l'instantanéité à l'historicité. La machine s'emballe. L'homme broie le temps de la conscience. Privé à la fois de l'expérience du passé et de la liberté d'un avenir qu'il ne sait plus projeter, il se réduit lui-même à l'état paralysant d'un éternel présent. Cette impatience à dire, à choquer pour retenir l'attention immédiate transforme une obscure anecdote rapportée par la presse en un événement national ; elle engendre des émotions et sème d'imprévisibles et incalculables conséquences dans une infinie résonance.

Le tumulte provoqué par la fausse agression de Marie L. l'a prouvé. La jeune fille n'ignore pas l'impact des symboles : RER, cheveux tailladés, croix gammées, inscriptions sur le corps. Pour échapper à une responsabilité personnelle, elle invente une agression antisémite. Elle sait ce qui bouleverse, laisse coi, fait oublier tout le reste. Mécanisme efficace et enfantin, à la portée de tous. Truffaut, dans *Les 400 coups*, en avait donné une autre version : « Ma mère est morte ! » faisait-il dire au petit Antoine Doinel décidé à échapper aux foudres du maître. Même motivation, même conséquence : l'interlocuteur s'incline. Le mensonge est si grave que son motif est oublié.

Différence considérable avec les années 1950, la presse relaie, dans l'instant, l'information. Du coup, une certaine France est en émoi. Cette agression, vraie ou fausse, ne change rien au climat général. Des cas comme celui-ci se produisent. Le récit lui aurait été inspiré par un événement, véridique cette fois. Mais ses répercussions témoignent de ce qui, dans notre société, a profondément changé. Les réactions sont immédiates et innombrables, nous en ignorons les effets à plus long terme. On nous a montré l'indignation. Pour autant, sommes-nous sûrs qu'elle ait été générale ?

Les profanations de cimetières sont aussi présentées comme d'odieuses conduites barbares, ce qui n'empêche pas – favorise peut-être – leur

13

multiplication. Les transgressions se propagent. L'impact médiatique est bien réel, il influence l'opinion publique et le cours de l'histoire, mais on ne mesure que très grossièrement les émotions engendrées et leurs conséquences.

L'école et la transgression des valeurs

Depuis quelque temps, nous assistons à la fois au retour des valeurs fondatrices de notre civilisation républicaine, postcolonisatrice, et à leur transgression. Ce qui m'apparaît nécessairement comme un violent démenti des bases affichées de notre société. Ce jeu de va-et-vient entre revendication et contestation devra-t-il se muer en un véritable combat ? Quels en sont les vrais enjeux, les belligérants officiels et officieux ? Quelle forme particulière peut-il prendre ? De l'incident au drame.

Après chaque événement, les médias se précipitent pour interroger, en vrac, les jeunes des banlieues. Mais nos élèves habitant ces quartiers, pensent-ils toujours quelque chose, et quoi ? Toutes ces questions restent, pour le moment, sans réponse. Nous avançons comme à l'aveugle dans un monde peu lisible. Mais, dans nos lycées, le malaise va grandissant.

Depuis quinze ans, j'enseigne en banlieue à une population majoritairement issue de l'immigration maghrébine. Ces trois ou quatre dernières années, une rupture s'est opérée. Un repli sur les valeurs religieuses et le communautarisme apparaît, contre la majorité de nos élèves qui continuent de se battre pour réussir une intégration jamais gagnée d'avance. Ces nouveaux comportements sont-ils toujours le produit de choix individuels?

Les adolescents sont malléables et influençables, soumis à de multiples forces antagonistes, familiales et scolaires, religieuses et laïques, sociales et morales… L'école d'aujourd'hui a-t-elle encore la puissance nécessaire à les tirer d'affaire? Est-elle encore capable de les aider à établir la distinction entre *conscience* individuelle et *action* collective? Leur permet-elle d'élaborer une pensée personnelle critique et réfléchie?

Génération sacrifiée, issue du déracinement, de l'exil, de l'exclusion, nos élèves sont-ils les nouvelles dupes d'une stratégie structurée et réfléchie, mais qui nous reste obscure et inconnue? Devons-nous penser que ces jeunes gens – soulagés du lourd fardeau de la liberté par des gourous mal identifiés – sont devenus les nouveaux instruments d'une *lutte voilée*, dont le terrain d'entraînement serait la classe elle-même?

Métissage et repli sur soi

Longtemps, je me suis sentie hybride: mi-femme, mi-homme, j'aurais tant voulu faire plaisir à mon père en naissant garçon; mi-libre, mi-dépendante; mi-prof, mi-pas prof, et surtout mi-française, mi-étrangère pour avoir vécu dix ans de ma vie de jeune femme en Afrique noire. À l'âge où l'on commence à juger par soi-même, vivre ailleurs et le faire avec bonheur suppose qu'on raccroche au vestiaire un tas de petits réflexes de rien, un tas de conduites plus intimes et aussi plus engageantes. Il n'y a pas de plus sûr moyen de se regarder autrement. De déceler en soi ce qui est déterminé par notre culture d'origine et que notre conscience répète inlassablement sans l'avoir jamais examiné. C'est sans doute ce qui fait tout l'intérêt des exils volontaires.

Au cours de ces dix années passées dans un établissement d'Abidjan qui ne comptait pas moins de soixante-trois nationalités, l'idée ne m'est réellement jamais venue de scruter les croyances des uns et des autres. Entre les élèves africains, catholiques et musulmans, tous un peu animistes ; les Européens, encore souvent athées à cette époque ; la communauté libanaise, chrétienne ou musulmane ; les enfants métis, de couleur ou de culture, toujours déchirés par leur double origine, chacun combinant les influences reçues et réalisant sa propre synthèse, la démarche eût été vaine autant que stupide.

Mais ignorer totalement ces déterminations individuelles et collectives dans un grand mouvement républicain et universaliste n'était pas plus malin et j'eus rapidement à m'en repentir.

Débutante, chargée d'enseigner la littérature française et la littérature africaine dans l'une de ces classes bigarrées, j'eus à faire face à une véritable fronde qui me mit, très vite, les points sur les i. Certains élèves africains ayant décidé de boycotter les cours de littérature française – du moins quand ils oubliaient de tomber sous le charme du *Candide* de Voltaire – les élèves européens trouvèrent judicieux de les imiter pendant les cours de littérature africaine. Il ne m'a pas fallu longtemps pour réaliser qu'on ne m'avait pas appris mon métier et qu'il ne se réduisait pas à la transmission d'une discipline. Cette année-là, dans la classe en préfabriqué, ronronnement du climatiseur dedans, bougainvillées en fleurs dehors, Léon, 17 ans – aujourd'hui avocat en Côte-d'Ivoire –, métis de peau, de cœur et d'esprit, avait plaidé pour le métissage international. Développant l'argument selon lequel l'avenir était au brassage inévitable et infini des couleurs, des civilisations, des cultures, il avait su, bien mieux que moi, rétablir un langage commun. Il avait bientôt convaincu les uns et les autres de la vanité et de la futilité de leur conduite face à une commune condition humaine, seul véritable objet de la littérature et, plus encore, de la philosophie.

À cette période, les révoltes n'étaient que de pure forme. Ce qui était contesté était un nom d'auteur, les références à un environnement. Plutôt que *David Copperfield*, on pouvait préférer *L'Enfant noir* de Camara Laye. On lisait plus volontiers *Une saison blanche et sèche* d'André Brink que *Roméo et Juliette* de Shakespeare. Mais les valeurs elles-mêmes n'étaient pas contestées. Les grands sentiments restaient la préoccupation des élèves, les principes semblaient partagés.

Je jugeais alors les paroles de Léon prophétiques, pacifistes et pleines d'espoir : les difficultés, patentes chez ces enfants métis, ne pouvaient que s'aplanir avec le temps.

Quelque vingt ans plus tard, force est de reconnaître que le métissage s'est, en effet, développé. Mais pas autant que les oppositions et le communautarisme.

Partout. Tant dans nos lycées de banlieue que dans les autres établissements où les professeurs peuvent rencontrer les mêmes difficultés face à une affirmation aussi exubérante que superflue des identités religieuses, catholiques ou juives y compris.

Aujourd'hui, c'est à ce repli sur soi que je suis douloureusement confrontée. Seule. Face au silence méfiant des élèves ainsi qu'à celui, désarmé, de l'institution publique.

L'école malmenée

Mon passé d'élève insolente et indisciplinée m'a bien plus servi à devenir un professeur acceptable que tous les efforts d'écoute et d'attention soumises aux quelques enseignants respectables et généreux qui ont toléré mes fantaisies d'enfant.

Fascinée par les abonnés aux hors-sujet, aux contresens, aux digressions, bien plus que par les champions de l'exercice ingéré, digéré, je cherche d'abord à communiquer convenablement le peu que je sais. Les meilleurs sont généralement acquis au contenu d'enseignement. Ils n'ont pas besoin de moi. Devant eux, ma mission se vide de ce qui me plaît le plus : pousser ma propre pensée à bout, afin d'en saisir les limites, nombreuses et irritantes. Découvrir ses erreurs c'est aussi penser. J'aime l'originalité de l'autre voie, le point de capiton de l'incompréhension, le chemin de traverse que je n'avais pas vu, l'exemple qui me donne tort. « Penser contre soi-même », voilà le seul effort qui vaille. La seule tentative qui me fournisse une chance d'élargir et de diversifier ma propre réflexion. Au fond, les élèves sont d'innombrables interlocuteurs, renouvelés chaque année, dont je fais une force, une ressource, un ressort illimité d'expérimentation de ma propre compréhension.

Exit les élèves

Rentrée en France au début des années 1990, j'ai découvert une école pleine à craquer de ces « enfants-patchwork » que personne ne semblait vraiment observer avec sérieux. Jean-Pierre Chevènement, ministre de l'Éducation nationale de 1984 à 1986, avait lancé son ambitieux slogan : « 80 % d'une tranche d'âge au niveau bac ». Négligeant la majeure partie des obstacles internes – effectifs galopants, hétérogénéité culturelle croissante, présence insuffisante des adultes – la massification de l'éducation écrasait tout sur son passage, et d'abord les enfants eux-mêmes. On ne tarderait pas à en retrouver bon nombre « en échec scolaire », premier signe du dysfonctionnement de l'école, de l'inadéquation de l'enseignement à son public.

Malgré les difficultés grandissantes et manifestes, seule la *régulation des flux* démographiques préoccupait vraiment le ministère. Il s'agissait de gérer des chiffres, d'élaborer des statistiques, d'exiger que le terrain *absorbe* de plus en plus d'enfants. Il fallait également s'assurer que l'école produirait de plus en plus de bacheliers. La création des baccalauréats professionnels – les fameux bacs pro – s'en chargerait.

Les syndicats, soucieux de cet afflux nouveau, réclamaient, légitimement, les moyens financiers pour faire face à la nouvelle crue. Pour le reste, ils s'assuraient, quant à eux, de la *régulation des points*. Faut-il rappeler que chacun d'entre nous est identifié par des points, dont la plus grosse partie dépend des diplômes acquis dans notre jeunesse, du nombre d'enfants dont nous pouvons nous enorgueillir ainsi que du nombre d'années laborieusement accomplies ? Et ce, quoi que nous fassions dans nos classes. Que nous soyons ou non concernés par la pédagogie, par les élèves eux-mêmes ou notre discipline. Finalement, ils me paraissaient tous, peu ou prou, afficher de virulentes revendications financières assorties d'une pensée sans force et sans fondement. Je ne voyais, à l'horizon de mes questions, qu'une démarche administrative, sans aucune ligne directrice.

Autant dire que, quels que soient les slogans réparateurs qui ont suivi, passant du quantitatif au qualitatif, les élèves n'ont jamais été vraiment considérés comme des sujets à part entière. Encore moins comme des enfants en développement. Lequel de ces partenaires s'est jamais clairement préoccupé de savoir quels étaient leurs repères, leurs références, leur structure de pensée ? Considérant qu'ils étaient vierges aussi bien de déterminations sociales et politiques que culturelles, on a pensé que, à condition qu'on lui en donne les moyens, l'école ferait son travail comme elle l'avait fait depuis des dizaines d'années ; qu'elle labourerait ses champs, plantant ses graines dans une terre inexploitée, sans rencontrer aucune résistance. Personne n'avait appris à défricher ou, mieux, à adapter les semences au terreau.

Mais les plantes ont poussé, de plus en plus hétérogènes, et nombre de professeurs se sont trouvés confrontés à des difficultés inconnues, sans trop savoir comment y répondre.

Exit les exigences

L'époque était à la compréhension des difficultés sociales, à la tolérance, à la compassion. À la clémence aussi : à l'égard des retards, du relâchement du langage oral, de l'incroyable niveau de rédaction écrite, de la multitude de fautes d'orthographes dont il était de règle alors de les tolérer ou, du moins, de ne pas faire état, ni de les pénaliser. Après avoir subi les foudres de nos propres professeurs, dont les exigences nous semblaient rigides et formelles, nous cherchions à enseigner autre chose, autrement. Le fond plutôt que la forme. L'intelligence des situations et des textes plutôt que l'apprentissage par cœur qui nous paraissait stérile, débilitant et démobilisant.

L'expérience aidant, je suis beaucoup moins sûre aujourd'hui de la justesse de cette analyse. Nos exigences revues à la baisse conduisaient à de bien piètres résultats et nous sommes nombreux à avoir ensuite mis en œuvre la tendance inverse, nettement plus fructueuse. D'abord en termes de résultats scolaires, mais aussi sur le plan psychologique. Exiger d'un élève l'application d'une règle, c'est lui dire implicitement que, comme les autres, il en est capable. Par contrecoup, le laxisme peut devenir méprisant, voire insultant.

Je n'étais pas seule à découvrir, effarée, les abîmes de douleur qui paralysaient ou surexcitaient nos élèves. L'enfer étant pavé de bonnes intentions, c'est une conduite de protection et de compréhension face à des enfants en souffrance que j'ai d'abord cru devoir développer. Les bonnes, les excellentes raisons ne manquaient pas.

J'ai le souvenir d'une élève de terminale technique qui s'absentait si souvent que son épisodique présence devenait un sujet de distraction et de plaisanterie pour le reste de la classe. Incapable d'obtenir une véritable assiduité, j'interrogeai le conseiller principal d'éducation. J'appris que le père avait disparu, qu'elle était l'aînée de quatre enfants dont elle s'occupait, que tous vivaient avec la mère, elle-même alitée, en phase terminale d'un cancer. Cette jeune fille de dix-huit ans restait généralement souriante et charmante. Elle faisait de son mieux pour intervenir pendant les cours, nous nous entendions plutôt bien. Jamais, pourtant, elle ne m'avait confié la situation infernale dans laquelle elle se débattait. Je l'ai souvent vue avec des blessures au visage. Sa mère était d'une extrême violence et lui interdisait, pour élever les plus jeunes, de se rendre au lycée. Djamila protégeait sa mère, refusait que le lycée, où la jeune fille venait en secret, prenne contact avec elle.

Quand ce genre d'information parvient jusqu'à nous, l'application de la règle scolaire nous apparaît dérisoire. Comment évaluer justement un devoir quand nous savons qu'il n'est arrivé sur notre bureau que par un effort exorbitant dont nous-mêmes aurions été incapables ?

La tâche m'a été grandement facilitée par la distance que les élèves nous imposent. Les informations sont rares et parcellaires au lycée. Il nous faut souvent nous contenter de bribes, de morceaux, de fragments de vérité. Recoupé par les frères et sœurs, une assistante sociale, une infirmière, le savoir est précaire, souvent minimisé au regard de la réalité.

Exit la classe

Plus le temps est passé, moins j'ai cherché à savoir, tant les situations concrètes sont parfois insoutenables. Je m'interdis tout découragement. Quels que soient notre désarroi et notre impuissance, il faut faire cours, affirmer nos exigences, tenter de constituer un groupe.

Jusque-là, il n'avait jamais été nécessaire de penser à constituer la classe. Bon an, mal an, par habitude, par contagion, cet ensemble, disparate en début d'année, finissait par devenir un groupe. L'intervention des professeurs pouvait alors se réduire au minimum : obtenir un silence gagné d'avance et dérouler avec plus ou moins d'enthousiasme et de compétence un discours qu'ils avaient eux-mêmes appris et qui servirait, à terme, de fonds culturel commun.

Mais nous avons appris qu'une classe ne se réduit pas à la somme des élèves inscrits. Aujourd'hui, cette genèse qui nous a si longtemps paru naturelle ne s'opère plus, en raison de la diversité de l'histoire et des origines culturelles de notre public. Nous ne pouvons plus nous contenter de laisser faire, d'attendre passivement que les relations de camaraderie finissent par établir une atmosphère univoque, plus ou moins propice au travail.

Loin d'être seulement une juxtaposition d'individus aux goûts et aux histoires personnelles différentes, une classe n'a de sens que lorsqu'elle existe en tant que telle. Qu'elle a pris une tonalité, une couleur, une identité. Il ne s'agit pas uniquement des capacités et du niveau des élèves, mais de l'ambiance qui s'en dégage, de l'alchimie particulière qui procède de chaque groupe d'enfants. Certaines classes nous enchantent, d'autres nous dépriment et nous découragent.

Dans ce contexte très formateur des lycées de zone sensible, j'ai rapidement appris que conduire une classe suppose la possibilité d'inventer une parole adaptée à tous, qui puisse être interprétée globalement de la même façon. Ces repères communs, si on les trouve, serviront de point d'ancrage aux échanges et au partage, élaborant ainsi le tissu social. Il nous faut travailler à créer cette *réalité temporaire*, au-delà de la diversité des déterminations individuelles. Construire et expliciter lentement les similitudes jusqu'à ce qu'elles apparaissent comme plus nombreuses que les distinctions. C'est la structure, le véritable *squelette provisoire* que toute classe – et probablement toute collectivité – exige pour exister.

Le véritable pouvoir – le seul ? – du professeur, c'est celui de fabriquer sa classe. Qu'on nous l'enlève et nous sommes réduits à néant.

Mais comment y parvenir quand je ne lis plus rien dans les yeux de celui qui me fait face ? Et comment continuer quand il s'en trouve deux ou trois dont le regard, fermé, hostile, signifie que mes mots et mes phrases viennent se heurter à la surface de leur front et glisser, lentement, silencieusement, douloureusement, jusqu'à leurs baskets, jusqu'au sol, où je peux, si je veux, aller les recueillir pour en faire un meilleur usage… Plus le niveau de la classe est bas, plus la diversité et l'hétérogénéité du public rend la parole commune improbable. Cet état de fait, auquel les professeurs des classes professionnelles et technologiques sont régulièrement confrontés, commence à gagner les classes d'enseignement général.

Il ne nous reste plus qu'à tenter de limiter la casse, ce qui peut occuper le tiers du temps de nos heures de cours. Lorsqu'on échoue à fabriquer ce noyau, on voit se former des petits clans hostiles les uns aux autres. La classe peut devenir un véritable champ de bataille, fournissant d'innombrables occasions d'affrontement. Le choix d'un texte, une remarque, une question de l'un ou de l'autre, tout servira de prétexte à affronter la bande ennemie. Nous devons alors être sans cesse aux aguets pour éviter une bagarre, une réplique violente, humiliante et nous sommes parfois conduits à remercier le ciel (!) quand l'agresseur s'est contenté d'éructer son mépris.

L'entreprise est de plus en plus périlleuse. Le plus souvent, le groupe est maintenu en vie par miracle, artificiellement, souvent au prix d'une nécessaire et décourageante hypocrisie. Nous feignons d'ignorer que cette unité ne s'est pas constituée. Nous continuons d'afficher le comportement du professeur, mais il ne s'agit plus que d'une posture.

Exit le professeur

Le professeur n'impressionne plus. Il n'est pas armé, pas nécessairement costaud. Il ne répond pas aux critères de respect de la cité. L'encadrement adulte n'empêchera pas les adolescents de venir régler leurs différends extérieurs au sein même de l'établissement.

Un vendredi soir que je quittais mon dernier cours dans le brouhaha habituel d'une fin de semaine, j'aperçus, à quelques mètres, gisant devant la classe comme un petit tas de chiffons, un corps recroquevillé. Son immobilité, ainsi que le silence qui s'abattit brusquement, me laissèrent d'abord interdite. La scène était si inattendue que je n'avais d'abord pas saisi qu'il s'agissait d'un jeune garçon. Avant que j'aie pu m'approcher, l'infirmière du lycée et les médecins du SAMU, se frayant un chemin dans le cercle muet des élèves, l'avaient pris en charge.

L'incident était plus violent que ceux auxquels j'avais, jusque-là, assisté. Mais, surtout, il était le fait de deux jeunes gens extérieurs au lycée. Après s'être introduits dans le hall, armés de battes de base-ball, les deux agresseurs avaient sagement attendu la sonnerie de dix-sept heures devant la salle de cours de l'élève et l'avaient massacré à la porte même de la classe. L'agression n'avait pris que quelques secondes. Personne n'avait eu le temps de réagir.

Inutile et impuissante, j'avais ressenti cette intrusion comme un viol. Non seulement de l'intégrité de l'élève, bien sûr, mais aussi de l'établissement et de l'institution que, bon gré, mal gré, je représente. Avec la peine et la colère, m'était venue une nouvelle faiblesse. Comment exiger le respect si je n'étais pas même en mesure de protéger les élèves ?

Nombreux étaient les enfants qui avaient assisté au passage à tabac. Tous, ou presque, avaient identifié les agresseurs, mais, dans nos lycées, la règle d'or est celle du « milieu » : le silence. Les « balances » savent qu'elles auront à répondre de leur conduite et qu'elles seront exclues de toute vie collective.

Une enquête eut quand même lieu, à l'initiative du lycée.

Quelques jours plus tard, un peu surprise, j'ai vu débarquer dans ma classe deux jeunes garçons à l'allure nonchalante. Sweat-shirts, baskets et jeans troués. Il m'a fallu quelques minutes pour comprendre qu'il s'agissait d'une équipée policière. On me pria de me tenir au fond de ma classe, discrète.

Assis sur le bureau, l'un des deux inspecteurs engagea la conversation avec mes élèves – des filles pour la plupart. La gravité de leur visage, l'assurance qui dictait leurs réponses, leur souci constant de disculper un certain James dont j'ignorais tout mais qui semblait familier à l'ensemble des autres protagonistes me mirent cette fois tout à fait hors jeu.

L'atmosphère était tendue. Plus aucune trace de leur jeunesse, aucune légèreté. Seulement l'inquiétude d'éviter une injustice tout en respectant l'*omerta* qui sévit déjà depuis plusieurs années. Les garçons fuyaient les regards inquisiteurs, les filles étaient nerveuses, révoltées, mais ne pouvaient parler par peur des représailles.

Enfin, l'interrogatoire s'acheva et je repris ma place au bureau. Je tentais de m'informer sur ces personnages mystérieux évoqués au cours de cette étrange confrontation. On m'épargna. L'une de mes élèves répondit qu'il valait mieux pour moi continuer d'ignorer ces « histoires » ; que je ne pouvais pas comprendre, que ce n'était pas « mon monde ».

De quel monde étais-je donc ? Celui des nantis ? Ceux qui ne savent rien de la cité, des relations nécessaires que nos élèves entretiennent aussi bien avec la police qu'avec les petits ou grands délinquants des « quartiers » – si souvent leurs anciens camarades à l'école primaire ? Sans doute. La tendresse et la persuasion déployées m'ont convaincue que c'était eux qui me protégeaient. Un comble.

L'épisode avait été douloureux, mes élèves me sommaient de rester dans mon rôle. Je crus comprendre que c'était là la meilleure manière de leur permettre de s'évader du leur. Mais était-ce autre chose qu'un semblant, une posture, là encore ?

Il m'avait fallu voir le lycée violé pour réaliser d'un coup que, non seulement l'école n'était plus un univers sacré, mais surtout que je n'étais plus en mesure d'assurer la protection – même physique – des enfants qui me sont confiés.

Je découvrais en même temps une nouvelle forme de décentrement. Alors que je me pensais une adulte responsable, incontestée dans son autorité quotidienne, parfaitement consciente de ses capacités à diriger un groupe d'adolescents, je devinai que le regard des élèves sur leur professeur était infiniment plus lucide et distancié que celui que je portais sur eux.

Cette fois, par des détours que j'ignore, on trouva les coupables. Au bout de quelques jours, la victime, tuméfiée, reprit sa place en classe. Il nous restait à oublier, à rassurer. On exigea pour entrer dans l'établissement des cartes flambant neuves. On resserra les contrôles.

Mais l'école devenait un lieu menacé où les adultes ne pouvaient plus préserver les enfants. Le dernier tabou avait sauté. Dans notre assurance naïve d'être naturellement respectés, nous nous étions faits transparents et nos lycées étaient devenus perméables à toutes sortes d'agressions. Comment faire face à cette réalité, comment résister à l'étiolement de notre autorité ?

Exit le savoir

Toute tentative d'érudition à l'échelle d'une vie d'homme est de plus en plus rapidement vouée à l'échec. Sans doute en a-t-il toujours été ainsi. Que savait Socrate du monde non hellénique ? Rien probablement. Son nom est resté célèbre pour avoir subodoré l'ignorance humaine. Mais l'espoir de découvrir la vérité s'offrait aux Anciens. Tandis qu'aujourd'hui nous *savons* que nous ne savons plus, nous le savons d'un savoir sûr et désespéré.

Même si nos existences paraissent infiniment plus riches, plus pleines, plus actives que celles des Anciens grâce à nos mille prouesses technologiques. Même si, comme celle des nouveaux globe-trotters, journalistes ou intellectuels, l'expérience de tel ou tel est sans repos, sans sommeil, sans retraite ni temps mort, l'entreprise reste vaine. Ne serait-ce que par la prise de connaissance juxtaposée et simultanée des conflits, des grands événements ou des grandes découvertes.

Le monde est devenu un gigantesque terrain de conflits dont nous ne maîtrisons ni les fondements ni les enjeux. On pense encore avec les anciens repères, les vieux réflexes, espérant trouver dans nos références les clefs pour comprendre une situation contemporaine qui nous bouscule. Mais nous butons : contre la *mondialisation* ou la globalisation, contre les *réseaux* terroristes internationaux, contre les *grands enjeux* de la politique planétaire. Chacun de ces mots que tous les bavards de notre société ont constamment à la bouche dissimule une nébuleuse, une idée vague, une représentation partielle, subjective.

Les équilibres que nous croyons connaître sont fragiles, mouvants. Ils dépendent du caprice des hommes, mais aussi des avancées scientifiques qui nous échappent tout autant : découvertes théoriques en mathématiques, physique ou biologie et leurs applications techniques. Qui exerce le pouvoir en dernière instance : gouvernements officiels ou mafias parallèles et services secrets, informés, inquiétants, influents ?

Le vieux rêve d'ubiquité et de savoir absolu nous conduit devant nos écrans, cloués au fond du fauteuil, dépendants des centaines de témoins armés de micros et de caméras. Misérables animalcules aux relents pascaliens d'infinie petitesse.

Les plus assurés d'entre nous ne peuvent rien garantir, nous sommes réduits à croire, ou à faire semblant de savoir, un comble dans une société athée et dans une école laïque qui prétend enseigner seulement ce qui a passé l'épreuve du doute.

Comment la parole du professeur peut-elle être respectée des élèves si nous ne sommes plus la référence dernière ? Comment sauraient-ils deviner et justifier la relativité d'un savoir qui prétend lui-même à l'universalité ? Faut-il leur demander de comprendre ce que nous ne sommes pas en mesure de reconnaître : notre inquiétante ignorance ?

Nous oublions qu'ils ont le même accès au même savoir. Peut-être davantage... Ils maîtrisent Internet bien mieux que nous.

Nos élèves captent des chaînes de télévision dont nous ignorons le contenu. C'est au détour d'une brève de journal que j'apprends l'existence d'Al Manar, chaîne du *Hezbollah* libanais dont le CSA a plusieurs fois réclamé l'interruption tant « les images et les propos sont intolérables ». Apparue il y a huit ans, financée par l'Iran, l'antenne affiche des programmes inacceptables. Très suivie, elle en appelle à l'antisémitisme, à la violence, au meurtre. La propagande est de retour, *Les Protocoles des sages de Sion* refont surface avec leur tissu de mensonges, leur cortège de manipulations, d'influences faciles et sournoises.

Ces banlieues qui se replient, pointées par le rapport des Renseignements généraux de juillet 2004, se nourrissent d'un « savoir » parallèle qui vient directement affecter nos cours. Il devient difficile de l'ignorer. Plus, l'ignorer c'est ignorer nos élèves et l'abîme se creuse, de plus en plus vertigineux.

La rupture du dialogue

Les sources du silence sont inexplorées. Échec à savoir, à dire, à transmettre. Qui s'en étonnerait? L'enseignement suppose, quoi qu'on en dise, une relation bienveillante, c'est-à-dire affective.

Cette réflexion me renvoie à mes propres souvenirs. Après une scolarité entière assombrie par mes déplorables résultats en mathématiques, j'ai subitement trouvé le ressort nécessaire à une note plus qu'honorable au baccalauréat dans le simple regard attentif d'un professeur «mieuxveillant» que les précédents. J'en ai retenu ce que je sais de mieux en pédagogie: le regard, le retour, l'échange sont seuls capables d'abattre les montagnes de crainte, parfois de désespoir, qui tétanisent les enfants face à leurs difficultés. Quel que soit leur âge. Même si ces difficultés ne tiennent, au fond, qu'à un simple déroutage de l'information transmise, l'incompréhension, de plus en plus souvent inavouée, reste une forme majeure de l'exclusion.

Pour l'éviter, encore faut-il découvrir à quel endroit, sur quel point précis le glissement a eu lieu. Comment faire sans la *confiance* réciproque?

Voilà bien le terme décisif, qui signifie par son étymologie la foi mutuelle, l'échange non seulement rationnel mais fondé sur le lien. Lequel ? Quel lien reste-t-il entre certains de nos élèves et leurs professeurs ? Peut-on bénéficier de ce lien sans être, peu ou prou, un maître ?

L'aisance naturelle dans l'échange, l'absolue transparence de la pensée, la volonté farouche de traduire le message à transmettre, autant de fois que nécessaire, dans toutes les langues de l'imagination et de la raison, c'est là l'essentiel de l'acte d'enseigner. Mais aussi l'acharnement déterminé à saisir ce que l'élève aperçoit confusément et qui fait obstacle à la compréhension véritable. Autant dire qu'il s'agit finalement du miracle de la communication et que, pour qu'il ait lieu dans les meilleures conditions, il est question d'y être entièrement engagé, tête et cœur, volonté et désir.

Quoi qu'on ait pu écrire sur les dangers de l'affect dans la transmission du savoir, il est inepte d'imaginer procéder autrement. En particulier avec des enfants ou des adolescents. Aucun d'eux ne travaille pour lui-même. Parfois, les parents sont les destinataires de ces efforts, sinon, c'est à nous de remplir ce vide, cette absence, cette destination inconnue. À dix-sept ans on ne travaille pas pour soi, ni pour un hypothétique avenir professionnel. On est tout entier engagé dans l'émotion et le présent. Chacun sait qu'il suffit de détester un professeur pour condamner une discipline. *A contrario*, un peu de sollicitude suffit parfois à mettre un récalcitrant au travail. La projection dans le futur, censée fournir la motivation des élèves, est, globalement, une mascarade. Les lycéens quittent doucement le monde de l'enfance où, comme on sait, la conscience du temps n'est qu'une obscure nébuleuse.

Comment s'y prendre quand on sent progressivement glisser ce climat de confiance, quand on découvre qu'ils ne nous suivent plus ? Quand, pourtant, ils ne le disent plus. Quand pas une révolte, pas une larme, pas un coup de gueule ne permet de rétablir le dialogue perdu ?

Ce qui change, c'est la disposition, la position intérieure de l'élève. Il m'a été fort difficile de le déceler. Le silence a de multiples sens pour les professeurs : attention profonde dans le meilleur des cas, mais plus souvent ennui, découragement, rêverie, fatigue... Je sais lutter contre chacun de ces ennemis. Interrompre le cours quelques minutes, dire une sottise, une absurdité pour les faire sourire à peu de frais. Jusque-là, les élèves étaient un bien bon public. Toute occasion était bonne pour se distraire et la participation du professeur plutôt bienvenue. Mais comment faire contre la « présence-absence » ?

Desperados

Aubervilliers. En ce début d'année scolaire, une réunion, à l'initiative du proviseur adjoint, permit à l'équipe pédagogique de se rencontrer avant le premier cours. Après les présentations d'usage, il entreprit d'énumérer les spécificités du lycée et d'informer les nouveaux professeurs des nombreuses difficultés de leurs futurs élèves. Cet établissement offrant des sections technologiques rares, ils pouvaient habiter dans les villes environnantes, parfois assez éloignées. Cette première remarque le conduisit à nous avertir qu'en conséquence nous étions vivement encouragés à accueillir en classe les élèves en retard de dix ou quinze minutes.

J'avais suffisamment d'expérience pour savoir que la clémence face aux premiers retardataires rendait le déroulement des cours très difficile, en particulier le premier de la matinée. Décompte fait du fameux « temps d'installation », il serait progressivement réduit à la portion congrue, c'est-à-dire au dernier quart d'heure. Je tentai timidement d'en débattre, mais, visiblement, nul ne tint compte de mes remarques, qui tombèrent à plat.

Les établissements sont suffisamment autonomes pour décider tous ces petits arrangements. Ils dépendent des personnalités influentes, peuvent varier avec les mutations des uns et des autres, échappent, bien entendu, à un règlement intérieur écrit, qui nécessiterait de les discuter, de les justifier et de les assumer. Ce sont des habitudes, une culture de lycée, comme on parle d'une culture d'entreprise.

Dans celui-ci, l'atmosphère générale et les équipes pédagogiques semblaient maîtrisées plus que de coutume par le proviseur adjoint. Mystérieux, hiératique, le proviseur, quant à lui, était invisible.

Je me suis longtemps interrogée pour savoir si les recommandations de la rentrée avaient été mûrement réfléchies, ce qu'elles visaient. S'agissait-il de nous persuader que l'établissement se préoccupait avant tout du bien-être des élèves, plus que de leur réussite ou de leur éducation ? Était-ce de la part d'un cadre responsable un engagement éthique, social, politique ? Désirait-il dessiner une école à visage humain ou s'interdire toute exigence parce que la mémoire de sa génération, l'attachement à ses combats de jeunesse, lui interdisait d'interdire ? Faute d'argumentation convaincante, je penchais pour les plus mauvaises raisons.

Malgré tout, reconnaissant que ces élèves en sections professionnelles et technologiques étaient plus vulnérables que ceux des sections générales, je tentai d'adapter mes exigences à l'idée que je me faisais de leurs limites.

Je résolus de couper la poire en deux et d'accorder cinq minutes de retard, pas une de plus. J'expliquai cette décision à mes élèves, personne ne crut bon de la discuter. Personne non plus ne me prit très au sérieux.

La chose allait bon train et je pensais avoir fait un choix pertinent jusqu'à ce lundi matin où Marc, un grand garçon, peu disert, ni plus ni moins intéressé par le cours de philosophie que ses voisins, passa la porte après le délai fixé. Comme convenu, je lui demandais de bien vouloir sortir. Il s'entêta un peu, moi aussi. Il céda. Pas de drame pour cette fois, je soufflai. Pas longtemps. Je fus de nouveau interrompue par un son sourd venu de l'extérieur.

Une fois, deux fois, trois fois. Je sortis. Le *desperado* agrippé à un poteau métallique avait entrepris de se fracasser consciencieusement le crâne devant la salle de cours. La brutalité exprimée en classe n'était que la partie émergée de l'iceberg. Au plus fort de leur colère, c'est contre eux-mêmes qu'ils retournaient leur violence.

La réalité était infiniment plus douloureuse que je ne l'avais d'abord supposé. Difficile à énoncer, subtile et mouvante. L'analyse intellectuelle peinait à la peindre, il fallait la toucher, l'éprouver, la sentir.

Que faire ? Fallait-il capituler, m'effondrer devant ma responsabilité, m'excuser ? Je résistai. Après avoir réconforté, conduit à l'infirmerie, réexpliqué, je maintins ma règle. Sans gloire. Ne sachant que choisir, au fond. J'aurais parfaitement pu décider le contraire.

Conserver mon sang-froid avait déjà été un exploit. Rien de ce qu'un professeur a appris ne peut répondre à une telle désolation. Toute réaction n'est que de façade et je restai dans un désarroi indicible, convaincue que je ne pourrais plus continuer d'enseigner. Je repris ma leçon… pourtant.

Peu de temps après, dans ce lycée où les élèves étaient, plus qu'ailleurs, en déshérence, une autre expérience acheva de me bouleverser.

Habiba, calme, posée, fumait dans le couloir entre deux cours. Un professeur passa et tenta de la convaincre de ne pas laisser tomber sa cendre sur le sol.

« Réfléchissez un peu, vous allez jeter ce mégot par terre. C'est le personnel de ménage, peut-être la mère d'un de vos camarades, qui devra se baisser pour le ramasser ! »

L'argument était plutôt sensé, humain, modéré. Impassible, Habiba, dix-sept ans, le fixa sans broncher et pressa le mégot au creux de sa main gauche… jusqu'à ce qu'il soit éteint. Elle le conserva dans cette petite main brûlée. Regard fixe, elle resta appuyée contre le mur. Rien à dire. Couloir indemne, matériel intact. Elle n'avait laissé aucune trace extérieure.

Hypnotisés par ce regard de braise, aucun d'entre nous n'avait su réagir.

Parfois nous sauvons la face, mais notre faiblesse et notre impuissance n'échappent pas aux élèves. Elles ne les intéressent pas non plus. Habiba braque son regard bien au-delà de son professeur. Je sens confusément que nous ne sommes déjà plus la cible. Quelle que soit notre expérience, dans un cas pareil, nous sommes hors jeu.

Représentants d'une société à laquelle nous sommes chargés de les adapter, sur quels critères devraient-ils nous faire confiance ?

Sommes-nous encore des maîtres, au sens le plus modeste du terme ? Comment légitimer un rapport d'autorité entre celui qui souhaite transmettre et celui qui ne souhaite plus apprendre, même s'il reste encore dans les murs de l'école ? Personne ne prétend plus savoir, personne n'ose plus rien exiger.

Notre hiérarchie ne s'y trompe pas. Les rectorats concernés par ces établissements difficiles savent le miracle de maintenir certaines classes « sur pied » aujourd'hui. Ils nous sont reconnaissants de limiter les contacts avec l'hôpital et la police. Même si ces institutions sont devenues, ces dernières années, les interlocuteurs privilégiés d'un grand nombre de lycées classés en zone sensible.

Le regard porté sur le professeur a bien changé. De serviteur de l'État, soumis à la valse des décrets, directives ou orientations nouvelles, mais bénéficiant du respect des familles, sa condition s'est inversée. Méprisé du public qui le tient pour responsable de l'échec scolaire, il est épargné par sa hiérarchie qui n'ignore pas ses réelles conditions de travail.

Inadaptés

Pourtant, l'école n'est rien en dehors de ceux qui la constituent. Si les professeurs sont fragiles, elle est fragile ; si les élèves ne la respectent plus, existe-t-elle encore ?

Derrière l'alibi d'une pédagogie moderne et humaniste, une certaine tendance à la complaisance a rendu abusive toute exigence et intolérable toute sanction.

Les proviseurs faisant office de tampon entre les enseignants et les rectorats nous rappellent sans cesse que les procédures d'exclusion sont à éviter.

Quand l'affaire est si grave (il s'agit le plus souvent de sanctionner un comportement violent) que les professeurs sont parvenus à faire convoquer un conseil de discipline, il n'est pas rare, bien que celui-ci se déroule toujours au sein de l'établissement, de voir les familles accompagnées d'un avocat, qui ne rechigne pas, d'ailleurs, à enfiler sa robe de temps à autre. Imagine-t-on les professeurs transformés en procureurs à charge contre l'un de leurs élèves ? Faudra-t-il que l'école, à son tour, recoure aux services de ses propres avocats ?

C'est le moment idéal pour vérifier que les élèves, et parfois leur famille, comprennent l'éducation comme un droit social absolu qui n'exigerait aucun devoir en retour. Il est aujourd'hui très courant de voir un élève exclu du cours exiger de rester en classe contre l'avis du professeur. La riposte est invariablement : « Vous n'avez pas le droit de me mettre dehors ! » Après une remarque sur sa conduite ou son comportement, le même répliquera d'un air las : « C'est bon ! faites votre cours… » Injonction propre à faire dégénérer les choses, le professeur ayant quelque difficulté à se comprendre comme un simple pourvoyeur de contenu.

Ces minuscules conflits quotidiens dévalorisent le travail scolaire et ruinent le respect nécessaire à tout échange pédagogique. Ils usent les nerfs et découragent les professeurs. Mais la procédure d'exclusion ne doit plus être appliquée… ou le moins souvent possible.

Nous avons pour ce faire des batteries de médiateurs, assistantes sociales, infirmières, psychologues… Combien d'heures de cours s'écoulent régulièrement dans l'un de ces bureaux ?

Les multiples instances de médiation destinées à apaiser les conflits conduisent à une tolérance quasi infinie. Pédagogues, psychologues, sociologues interviennent presque toujours pour calmer le jeu dans le cadre d'une situation exceptionnelle.

Mais, une fois réintégré dans sa classe d'origine, l'élève retrouvera ses démons. Seul, responsable du groupe, le professeur devra faire face à des enfants inadaptés à la vie sociale, intellectuellement peu convaincus.

À chaque initiative intelligente, destinée à limiter le pouvoir arbitraire et redoutable de l'école, correspond son effet pervers. Toutes les fragilités, les failles du système sont infiltrées, exploitées, rentabilisées par les élèves.

Cette situation rappelle, à juste titre, que la société décrète et que l'école obéit. Sa marge de manœuvre s'est rétrécie comme peau de chagrin. Elle n'en demeure pas moins responsable aux yeux de tous. Maîtresse de tous les maux, accusée de toutes les faiblesses autant que de toutes les persécutions. Complice ou suppliciée ?

Désintégrés

L'école *doit* absorber 80 % des jeunes gens de seize à vingt ans. Elle le fait.

Mais absorber ne signifie pas éduquer, pas même enseigner. Absorber, c'est contenir.

Nous contenons tant bien que mal les effets d'une politique qui a négligé les enfants issus de l'immigration. Nous contenons les difficultés de tous ordres : économiques, sociales, psychologiques, auxquelles l'école tâche de répondre. Nous contenons l'expression de la souffrance en canalisant aussi les débordements de violence – parfois au corps à corps –, que la nature nous ait ou non pourvus de la musculature adéquate. Mais aussi, et surtout, nous contenons *encore* l'explosion du désespoir. Déjà dans *La Haine*, le témoignage de Mathieu Kassovitz nous alertait. Le trait de génie de ce film sombre et absolument pessimiste reste le générique : « Jusqu'ici, tout va bien… » J'ajouterais : *l'école contient encore*.

Tant qu'ils sont dans les écoles, ce sont les professeurs qui ont à se colleter avec les plus inadaptés, non intégrés. Désintégrés ? Une fois dehors, c'est à la société de s'en occuper.

Le faramineux budget de l'Éducation nationale serait-il le prix à payer pour dissimuler une érosion, une corrosion sociale dont personne ne voudrait s'occuper ?

Tout est fait pour que l'école conserve ses cas les plus difficiles. La société ne sait que faire de ces jeunes gens qu'elle ne parvient pas à intégrer. S'il n'y a pas d'emploi à leur mesure et si on les exclut de l'école, où iront-ils ? Et surtout, que feront-ils ? Qui maîtrisera cette jeunesse marginalisée ? Voilà la question sous-jacente, implicite, qui explique en grande partie les choix déstabilisant l'école depuis une quinzaine d'années. Impossible de laisser cette jeunesse démunie dans la rue, sans repères, sans activité, sans garde-fous. Cette politique du « scolarisé à tout prix » – quel qu'en soit le coût – contraint l'école, professeurs et proviseurs, à tolérer toutes sortes de comportements qui contribuent à grignoter un dernier semblant de légitimité.

Le fameux budget de l'Éducation nationale – croissant et décroissant au rythme de la courbe démographique – n'y changera rien. L'argent ne suffit plus à traiter les nouveaux problèmes. La question est ailleurs.

Elle porte sur le rôle de l'école, sa fonction, sa façon d'ignorer son public comme si, depuis les années 1970, il était immuable. Or, la donne a changé. Il devient nécessaire de s'interroger sur le nouveau regard des élèves envers le professeur. Comment nous jugent-ils, que représentons-nous pour eux ? Peu à peu je sens que je m'éloigne, que le chemin qui nous sépare est plus long à parcourir et que, parfois, j'échoue à les rejoindre. Ils me l'interdisent. D'abord, c'est la colère contre eux qui m'habite. Pourquoi ne m'entendent-ils pas ? Puis, contre moi. Pourquoi est-ce que je ne parviens pas à trouver les mots ? Enfin, la tristesse l'emporte et le désarroi : je n'y arriverai pas.

Les cow-boys et les Indiens

Faut-il vraiment feindre de croire que, dans nos lycées, élèves et professeurs partagent tous un même intérêt? Je feins, tu feins, nous feignons… *ils feignent.* Je t'ignore, tu m'ignores… Nous nous perdons.

Pense-t-on que nos établissements de banlieue sont restés indifférents au tournant pris par le terrorisme le 11 septembre?

J'étais justement au lycée lorsque les médias ont commencé à diffuser en boucle le double choc des tours jumelles. Nous étions trois professeures accompagnées d'une journaliste du *Monde* venue nous interroger sur le tout nouveau projet de collaboration entre nos lycées et l'inaccessible Institut d'études politiques de Paris. Portées par l'exploration d'une nouvelle voie et l'espoir de réussite, l'humeur était plutôt joyeuse. Mais arrivées devant la loge, le regard ébahi du gardien devant la télévision allumée ne laissait aucun doute sur la singularité de l'événement.

L'explosion du 11 septembre devait laisser dans nos lycées des traces profondes. Je ne m'en aperçus d'ailleurs pas immédiatement. L'événement mit quelque temps à s'inscrire concrètement dans notre quotidien.

Vive Ben Laden !

Les premiers signes m'apparurent une fois encore sous la forme de plaisanteries de gamins. Les plus loquaces sont toujours les élèves des sections professionnelles et technologiques. Moins inhibés, plus provocateurs, plus « durs », comme nous disons, surtout quand ils ne sont pas dans leur classe. Hors du temps de cours, ils considèrent qu'ils sont libres de dire tout et n'importe quoi. À plusieurs reprises j'entendis, dans le hall, dans les couloirs, des conversations faisant du tout nouveau Ben Laden le héros de la semaine, puis du mois. Plus les Américains tardaient à le localiser, plus son nom me semblait prononcé avec respect et admiration.

C'est au plus fort de l'affolement occidental relaté par la presse que j'assistai à un épisode qui me mit mal à l'aise. Dans le hall d'entrée du lycée, une dizaine d'élèves s'étaient regroupés. Tous des garçons, ils s'amusaient. Cette fois, l'actualité fournissait la matière, un terrain de jeu grandeur nature. L'un d'entre eux leva le poing et dit en riant : « Vive Ben Laden, ils l'auront jamais ! »

Ironie du sort, la scène se déroula précisément le jour choisi par l'Éducation nationale pour faire respecter une minute de silence dans tous les établissements publics. Comment ne pas s'interroger sur les réactions de ces enfants devant la proposition – l'injonction ? – du professeur, quelques heures plus tard ?

Ulcérés par ce carnage dont personne ne comprenait ni l'objectif ni le sens, la France et l'ensemble des pays occidentaux avaient immédiatement traité l'événement comme une catastrophe internationale.

Le pays était bouleversé, il pouvait paraître légitime à l'Éducation nationale de ne pas ignorer le *fait*. Toutefois, que savions-nous des sentiments du public à qui s'adressait cette prescription?

L'émotion engendrée par cette violence était-elle partagée par tous nos jeunes gens, leur implication était-elle de même nature que la nôtre? Se sentaient-ils menacés des mêmes périls, spontanément solidaires des souffrances américaines, violentes et ponctuelles? C'est ce que nous préjugions. Au sein même de nos établissements, où 60 % des élèves sont arabo-musulmans, nous exigions de nos élèves qu'ils se recueillent avec nous dans un grand mouvement d'union.

Pour autant, je n'en oubliais pas la nécessité de justifier cette décision. Notre métier est d'expliquer. Cependant, étions-nous en mesure de le faire? Nous-mêmes, avions-nous compris? Qu'il suffise ici de rappeler le temps nécessaire à la presse et aux intellectuels de notre pays pour commencer à prendre un peu de distance.

Que pouvions-nous expliquer et jusqu'où, sans entrer dans des présupposés politiques – interdits dans les établissements scolaires, comme chacun sait? Comment justifier ce recueillement? Obéissance servile à notre hiérarchie? Bouleversement légitime devant le coup porté à «nos amis américains » ? Rappelons-nous, le lendemain, *nous l'étions tous...* Nos élèves aussi ?

Oublions l'émotion immédiate. Devant l'absence de déclaration et de revendications claires de la part des terroristes, que disait notre minute de silence ? Marque de sympathie envers les familles des quelques milliers de personnes disparues dans le brasier ? Argument insuffisant. Certains de nos élèves nous ont rappelé que d'autres civils mouraient chaque jour aux quatre coins du monde et que nos cours n'étaient pas quotidiennement interrompus. Était-ce, de leur part, une marque de solidarité avec une idéologie ? un groupe social ? politique ? culturel ? religieux ?

Malgré la grossièreté de cette analyse – le terrorisme, si mal identifié, n'est pas un groupe homogène –, cette approche faisait mouche. La pensée binaire conservait ses droits, surtout en état de choc émotionnel, et certains voulaient y voir le coup d'éclat d'une « civilisation musulmane » (!) représentée par Ben Laden, sorte de Zorro de l'islam, face à l'hégémonie de la civilisation occidentale.

Et Zorro plaît aux enfants : restituer aux pauvres ce que les riches leur ont pris, voilà bien un idéal de justice facile à comprendre et propre à émouvoir n'importe quel adolescent. Évidemment, on ne voit pas bien ce qui a été dérobé le 11 septembre, hormis des milliers de vies.

Cette conception, fruste, fausse et suprêmement manipulatrice, n'a du reste pas échappé audit Ben Laden. Il ne se prive jamais de faire référence aux « musulmans du monde », *faisant fi* de la diversité des pays et partis de l'islam, *ignorant* leurs engagements dans des luttes à mort, plus souvent pour le pouvoir temporel que spirituel, et *faisant mine* de s'adresser à une communauté soudée et univoque.

Ces interventions, relayées par certains imams enseignant plus ou moins directement à nos élèves la hiérarchie des sexes et la supériorité de leur religion par rapport à un Occident sans âme et sans conscience, peuvent-elles laisser indifférents des adolescents à la dérive ? Pour n'avoir pas su engendrer l'espoir d'une vie autonome et réalisée chez les enfants issus de l'immigration, nous avons abandonné un boulevard à ceux qui l'ont compris et qui leur renvoient l'image falsifiée d'une grande famille, d'une communauté unifiée ; l'idée fallacieuse de la pureté religieuse par opposition à toute autre conception du monde et de soi-même. Rien de plus rassurant qu'une vie entièrement réglée par les principes religieux, où le libre arbitre n'a plus aucune raison d'être. À l'Occidental la douleur et le risque du choix individuel, au « bon » musulman la placidité de celui qui obéit aux guides spirituels. Voilà ce qui nous est rapporté quand, parfois, la question apparaît.

Une fois de plus, je jonglais avec le malaise des élèves et le mien. Achevant mon cours sur *Autrui*, illustré par Emmanuel Levinas, je m'en tirai en utilisant l'attentat comme un exemple déterminant de l'injustifiable violence des hommes et de la barbarie à visage inhumain.

Longtemps, je ne me suis sentie responsable que de mes élèves. Sans doute devais-je estimer que l'exercice permanent de la discipline ne me convenait pas. Il suffisait alors d'instaurer dans mes classes un climat de confiance, savamment organisé autour d'une once de crainte et de trois pincées d'ironie, parfois cinglante, pour que mon métier m'apparaisse, sinon facile, du moins faisable, sans trop de difficultés. Je riais de leurs plaisanteries, ils riaient de mes mauvaises blagues et je pouvais tirer mon épingle du jeu, secrètement persuadée que l'harmonie du groupe naissait de l'habileté individuelle du professeur.

Il m'a fallu longtemps pour comprendre que mon travail ne pouvait s'arrêter au seuil de la classe.

C'est d'abord dans les couloirs que j'ai perçu un vocabulaire qui m'est apparu comme inacceptable. Des rires, toujours, des plaisanteries. Je refusais d'y prêter attention. Surtout, je me demandais comment il m'était possible d'intervenir dans des conversations entre élèves au détour d'un couloir. Elles ne laissaient prise à aucune véritable réflexion tant elles semblaient légères, inconséquentes. Rien de plus qu'un gentil petit jeu de cow-boys et d'Indiens.

Ce jour-là, un tonitruant « ça pue l'Arabe, ici ! » me força pourtant à sortir de cette feinte indifférence. Lancé par un élève maghrébin, rigolard et satisfait de sa bonne blague. L'élève visé n'avait pas même daigné se retourner. Rien qui justifiait son intérêt ou son intervention.

Par bonheur, je passais par là, et mon œil candide, exagérément arrondi, le combla d'aise. Une fois de plus, la provocation facile avait marché. *Décidément, les profs sont d'incorrigibles moralistes, un rien les offusque et les offense.* Voilà ce que son visage goguenard me renvoyait. Sachant que je n'enseignais ni dans sa classe ni même dans sa section, il se sentait hors d'atteinte. À peine lui avais-je adressé la parole qu'il m'interrompit pour me rappeler qu'il ne me connaissait pas et qu'il n'avait donc aucune raison de me répondre. Passant outre cette fin de non-recevoir et lui suggérant qu'on pouvait lui retourner le malodorant compliment, j'évoquai les nombreuses occasions historiques où il aurait, à son tour, pu l'entendre. Ailleurs que dans les couloirs du lycée. Rappelant, en vrac, la guerre d'Algérie, les morts du métro Charonne, les cris et les slogans accompagnant toujours les crimes racistes, je vis peu à peu s'effacer le sourire niais et apparaître la gravité.

Cette conversation nous mit tous les deux en retard pour nos cours. Il dut s'enquérir d'un surveillant pour l'autoriser à rejoindre sa classe. Par miracle, mes élèves ne s'étaient pas encore sauvés et il ne me resta qu'à m'excuser de les avoir fait attendre.

Combien de fois par jour pouvons-nous répondre, et répondre calmement, à ces petites phrases si «joviales» qu'il m'arrive, sans savoir exactement pourquoi, de prendre au sérieux ? Combien de fois par jour devons-nous faire attendre nos propres élèves et commencer nos cours seulement après avoir «redressé» les couloirs ?

Nous résistons à ces situations quotidiennes autant que faire se peut. Nous tentons bien d'échapper à la provocation autant qu'à la dramatisation mais, devant ces «esprits farceurs», comment exercer notre rôle d'éducateurs ou même, plus simplement, d'adultes responsables ? Sommes-nous assez résistants, assez convaincants, assez estimés pour venir à bout de cette nouvelle vague de paroles racistes et sexistes ?

Aujourd'hui, s'il reste encore une once de respect pour le professeur, c'est presque exclusivement pour celui qui a su, dans son cours, au fil de l'année, se faire apprécier de ses élèves. La classe peut être un terrain favorable. Il s'y noue des relations nécessairement personnelles entre le professeur et ses élèves. Chaque individu a sa manière propre de mener sa barque et d'imprimer sa marque. La confrontation y est directe et l'on a toujours vu les élèves se comporter, au sein de la même classe, différemment avec l'un ou l'autre de leurs professeurs. Nos souvenirs nous le confirment. La classe la plus acceptable peut devenir tyrannique. Par bonheur, l'inverse est également vrai.

Mais l'étude des parties communes du lycée me semble être le véritable observatoire du rapport des élèves à l'institution. Le couloir, où le comportement échappe à la vigilance des professeurs, est un baromètre beaucoup plus fiable. C'est sans doute le lieu le plus riche d'enseignements et la source la plus constante des problèmes de discipline.

Dans ce lieu de non-droit, le professeur, en tant que tel, a perdu tout crédit. Il est d'office méprisé et en tout cas n'a aucune légitimité à entreprendre une conversation ou à faire une remarque.

Tenter d'obtenir un peu de calme ne nous effleure même plus. Nous tâchons de progresser vers nos salles de classe sans trop nous faire remarquer. Si l'envie nous prend de demander, très urbainement, à l'un des occupants du couloir, tenant le mur, de bien vouloir retirer son couvre-chef, tout peut toujours arriver. Souvent je m'y suis frottée, toujours je m'y suis piquée. Quasi impossible de faire remarquer à un élève qu'il manque de respect à un autre en le traitant d'enc…, de rebeu, de renoi.

De feuj, c'est plus difficile, ils ne sont plus que cinq ou six, sur près d'un millier d'élèves.

Je l'ai pourtant entendu, une fois, une seule. Mais avant que je ne me sois penchée par-dessus la rampe de l'escalier pour voir qui en était l'auteur, un autre professeur, scandalisé, prenait le problème en main. Ouf! épargnée ce coup-ci.

« Moi, les feujs, je leur parle pas… »

Jusqu'ici, toutes les caractéristiques liées aux racines des uns et des autres n'avaient pas leur place au lycée. Il pouvait arriver de questionner ou d'être questionné sur nos origines, mais cela restait dans la sphère privée. Rare, lointain, presque indiscret. Quand ces questions étaient abordées, cela signifiait un lien singulier, une intrusion dans la vie familiale du professeur ou de l'élève. C'était le signe d'une conversation allant un peu au-delà des conventions qui règlent les relations professeurs-élèves. Oser poser la question, y répondre, était l'indice d'une complicité naissante, d'une confidence, presque d'une intimité. Cela supposait une curiosité bienveillante de la part du questionneur et du questionné.

Aujourd'hui, ce sujet est devenu, pour nombre de nos élèves, le plus important de tous. Savoir si le professeur est juif, le soupçonner alors immédiatement d'être pro-israélien, donc anti-palestinien, donc anti-musulman, voilà la nouvelle difficulté à laquelle nous sommes confrontés. Le jugement n'attendra pas, nous avons à être dans un camp ou dans l'autre. Face à cette injonction, nous ne sommes plus jugés sur notre parole, nos engagements professionnels, mais sur nos origines. Juste retour des choses ? Réponse aux nombreuses mesures d'ostracisme dont les patronymes et les faciès musulmans ont à souffrir ? Qui sait, mais surtout, comment répondre sans pour autant se justifier ?

Silence encore, nous feignons le plus souvent d'ignorer les griefs qui ne nous sont pas jetés en pleine face. Faire semblant est devenu un sport national pour les professeurs : ignorer les chuchotements lorsque le mot *juif* est prononcé ; ignorer les regards entendus quand il faut faire référence à Israël en histoire, ou au génocide perpétré par les nazis en philosophie ; ignorer encore les attitudes délibérément hostiles envers Freud ou Darwin, dont les découvertes sacrifient les dogmes des trois religions monothéistes, donc, ici, coraniques. Mais aussi, toussoter devant les gloussements d'aise et les petits sourires à l'évocation de Ben Laden.

Provocation ou adhésion véritable, comment trancher ? Impossible d'avoir clairement cette discussion. Ben Laden est devenu en Occident une sorte d'ennemi public numéro un, les élèves ne peuvent l'ignorer. Ils ne nous disent pas ce qu'ils pensent, pas à moi en tout cas.

Un soir, dans le courant de l'année passée, le père de Foued m'attendait.

Je le connaissais bien. Nous avions noué une relation de confiance au cours de la scolarité de son fils. Il était persuadé que Foued me devait sa mention au bac. Les conseils prodigués la veille de l'examen lorsque, comme chaque année, je réunissais mes élèves pour une ultime révision avant l'épreuve de philo, avaient marqué.

Régulièrement, Katia, la petite sœur de Foued, élève dans le même lycée, m'apportait des pâtisseries orientales faites à la maison. De temps à autre, j'étais invitée à boire le thé en famille, au 12e étage d'une tour sans âme. Je prenais des nouvelles de Foued. Il vivait de moins en moins souvent dans la cité, fréquentait de nouveaux amis, à l'université. Des Français, bien sûr, mais aussi beaucoup d'étrangers, des Espagnols, des Néerlandais, des Africains, étudiants en littérature comme lui, à la Sorbonne.

Tous ces petits échanges, intimes, chaleureux, me consolaient aisément des difficultés quotidiennes de mon métier.

Mais cette visite impromptue était inhabituelle. Il paraissait affolé, presque effrayé et souhaitait que je l'accompagne jusqu'à son domicile. En chemin, il me dit son malaise. Son fils avait dîné à la maison la veille et avait tenu des propos choquants pour toute la tablée. « Il ne sait plus ce qu'il dit. Il raconte qu'il a maintenant des amis juifs ! »

L'évolution de Foued, qui s'était progressivement éloigné de la religion pour se consacrer à ses études, avait été, jusque-là, bien acceptée. Rien n'impressionnait vraiment son père. Tout était compris avec une relative tranquillité. Sauf cela.

C'était un véritable signe de déraison. Rien n'était plus troublant.

De tous les noms plaqués sur des ennemis réels ou imaginaires, feuj, renoi, rebeu… de tous ceux-là, juif avait un autre sens, plus profond, plus enraciné, plus ancien. Rejet transmis en héritage ? Dans le cas de Foued, excellent élève, l'école avait sans doute réussi sa mission. Mais cette ouverture, cette tolérance laïque avait-elle créé une rupture familiale, un malaise, un point obscur, impossible à partager en famille ?

Je ne savais plus comment penser tout cela. Outre l'impossibilité dans laquelle je m'étais trouvée à ce moment précis de dire, d'*avouer* une judéité presque oubliée, je n'avais pas non plus su entreprendre un exposé académique sur la fraternité nécessaire entre les peuples !

Arrivée à la maison, chaleureusement accueillie, devais-je à ce moment me dévoiler ? J'étais confrontée à un malaise obscur. Savaient-ils ou non ? Étais-je à leurs yeux « le bon Juif » sartrien évoqué dans *La Question juive,* celui que tout antisémite estime différent des *autres* ? Ignoraient-ils tout simplement mes origines ?

Jusqu'à ce triste récit, ce qui ne m'était apparu que comme vilaines manies ou jeux d'enfants prit soudainement une nouvelle signification.

Cette phrase avait été prononcée par un père désemparé et je ne pouvais méconnaître ce fait, mais quel sens lui attribuer ? La palette des interprétations était large. Habitude mentale sans grande conséquence, sans beaucoup de sens non plus, rejet véritable ou haine de l'autre, comment savoir ?

Comment éviter à la fois l'écueil de la paranoïa et celui de l'inconséquence ?

Comment rester vigilant, échapper à la négligence ? Ne pas grossir et noircir le tableau. Ne pas gratifier une remarque sans importance d'un sens historique. Mais peut-on seulement envisager que ce type de remarque soit insignifiant ?

Ne pas manquer à ma propre histoire.

Arrêté par la police française, mon grand-père, parmi tant de pauvres gens, avait pris le train en toute confiance. C'était la guerre, il allait travailler en Allemagne, lui avait-on assuré. Mais le train a poussé jusqu'à Majdanek. Il fut gazé dans les trois jours.

Comme une révélation, cette confidence, soufflée dans la douleur, dévoilait un arrière-monde insoupçonné. Je n'ai su ni répliquer ni oublier. Ce silence en réponse me plaçait brutalement dans une complicité entendue contre laquelle je ne savais pas me défendre.

À situation exceptionnelle, aveu exceptionnel. Mais, pour une remarque de ce genre, combien de secrètes pensées, de légendes effrayantes transmises dans la chaleur familiale, depuis la petite enfance ? Comment m'interdire d'y penser ?

Faut-il d'ailleurs s'interdire d'y penser, d'en parler ? La question d'un professeur, juif ou non, n'est-elle pas plutôt : comment ne pas se dérober ?

Esquiver, n'est-ce pas se tenir pour dit que la chose est définitive ? Condamner d'avance les enfants à la répétition servile de vieilles habitudes mentales ?

N'est-ce pas les soustraire à la moindre chance de comprendre et de choisir ? Manquer à notre premier devoir : oser en parler pour restaurer la conscience individuelle et la liberté qui lui est attachée ?

L'effet miroir

Porteurs à la fois des valeurs fondatrices de notre société républicaine et laïque ainsi que de celles, parfois antagonistes, transmises par les familles, comment ces jeunes gens peuvent-ils se structurer ? Quel regard portent-ils sur eux-mêmes ? Ces nouveaux élèves si semblables aux précédents, mais qui évoquent confusément d'autres points d'ancrage, une altérité insaisissable, sont difficiles à cerner. Ils semblent en suspens entre deux univers, entre deux cultures, entre deux temps.

Les parents : modèles ou contre-modèles ?

Espérant créer une proximité fructueuse pour les élèves, différents proviseurs ont cherché à tisser des liens avec les familles.

Peine à demi perdue.

Pour garantir la rencontre, l'astuce consistait à les convoquer sous prétexte de leur remettre les bulletins de notes de leurs enfants. S'assurer de leur présence nous imposait de fixer les rendez-vous après leur journée de travail.

Cette soirée d'automne fut riche d'enseignements. Je les vis accoster, les uns après les autres, dans la salle des professeurs. Triste défilé de parents harassés, mères intimidées, pères troublés. Leur conduite suggérait qu'ils étaient venus découvrir d'influents étrangers. Un rien de raideur et d'obligeance dans l'attitude corporelle. Nous étions leurs juges en même temps que ceux de leurs enfants. Beaucoup d'entre eux n'écrivent pas le français et ne peuvent pas lire le bulletin de leurs enfants. Ils n'ont aucune envie de nous le faire savoir. Ce sont les aînés qui s'occupent des papiers à la maison. Sécurité sociale, feuille d'impôts, demandes d'aide sociale, de bourses d'études, certificats officiels, naissance, décès, mariage…

L'un d'entre eux, plus grand, plus mince et plus âgé que la moyenne, visage et pantalon fatigués, attendit longtemps avant de se présenter. Quand le moment fut venu, les yeux baissés devant le professeur chargé de le recevoir, il crut bon de s'excuser pour compenser les piteux résultats scolaires de son fils.

Quelques rares adultes se montraient agressifs ou menaçants. Quand parents et enfants adoptent le même comportement violent, on apprend peu sur les élèves et l'entrevue est stérile. En toute logique, on peut s'autoriser à penser que les enfants n'ont pas choisi leur conduite ; qu'ils n'en sont pas la source ni les auteurs, mais le réceptacle. Rien d'étonnant à ce qu'ils la reproduisent en classe.

Pourtant l'effervescence de quelques-uns n'a pas réussi à couvrir le mutisme éloquent de la grande majorité d'entre eux.

Impossible d'instaurer des relations de complicité, d'adulte à adulte. Moins encore avec les pères, venus en nombre pour une fois, qu'avec les mères.

Bien qu'en accord profond avec la démarche, cette improbable expérience m'aliénait dans un rôle hiérarchique insupportable, induisant indûment, en plus du pouvoir indéniable de juger les enfants, celui de jauger les parents.

Déstabilisée par la violence de l'expérience, je refusai irrévocablement de continuer la distribution et choisis de revenir à la vieille méthode : adresser le bulletin par courrier. Me privant, à jamais, de la moindre chance de rencontrer les familles récalcitrantes, ou simplement trop hésitantes pour prendre l'initiative d'un rendez-vous ; autant dire la majorité.

J'eus tout de même le temps de constater que, parmi les plus âgés, nombreux étaient ceux qui conservaient, vis-à-vis de la France et de ses institutions, un respect proche de la déférence. Paradoxalement, ce sont leurs enfants qui sifflent *La Marseillaise* sur les stades.

Une distance croissante sépare – définitivement ? – les générations.

Coincés entre deux rives

Qui sont ces adolescents ? Des forces vives, sans doute, mais aussi des individus fragiles, qui cumulent les privilèges d'être à la fois démunis financièrement et de langue maternelle – ou de culture paternelle – étrangère. Ils sont kabyles, croates, mossi... Ils ont connu les ruptures violentes des enfants en miettes : familles déchirées, pays ravagés par la misère ou les guerres, exil, solitude. Fractures ouvertes ou fermées, c'est selon. À Saint-Ouen, Saint-Denis, Bobigny, le salon familial se résume au tapis oriental et à la télé. Deux objets familiers, hautement symboliques des deux civilisations qu'ils effleurent.

Le tapis emblème du souvenir, de l'opulence rêvée, de la prière. La télé comme fenêtre sur l'autre rive, celle de l'actualité, de l'opulence réelle, d'une vie souhaitée.

La bibliothèque est absente, oubliée, restée au village, emprisonnée dans la parole des *anciens*.

Coincés entre deux rives, jamais à quai, jamais tranquilles. Ils se balancent de l'enfance à l'âge adulte, du savoir à l'ignorance, entre passé et avenir, entre Orient et Occident.

Je reçois un petit mot de Nadia qui m'écrit : « Je suis assise sur un trottoir avec mon sac d'école... Je ne veux pas rentrer chez moi. Mes amis se dispersent et ne me suivent plus, mais je reste là tout de même parce que j'y suis mieux que nulle part. Je n'ai pas dit que j'y suis bien. »

Et, un peu plus loin : « La rue est une toile peinte de la sécheresse du monde. »

Suspendus entre deux rives, ils se retrouvent prisonniers d'un *no man's land* qu'ils ne comprennent pas et qu'ils n'ont pas mieux identifié que moi. Seul surnage le malaise. Un malaise qui les laisse cois, silencieux, sans pouvoir analyser, ni se défendre de cette angoisse aiguë. Ils en sont les vecteurs désarmés. Ils ne l'ont ni engendrée ni vue venir.

Nous non plus.

Des enfants sans mémoire

Le devoir de mémoire, pour eux, n'est qu'un vain mot.

Ils ne savent pas comment ni pourquoi ils sont nés ici. Personne n'a pris le temps ni la peine de leur raconter leur histoire, de recoudre les morceaux de leur existence. Pas plus personnelle que collective. Leurs parents n'expliquent ni ne savent les liens serrés entre leur pays d'origine et le nôtre. Troisième vague d'immigration, ils sont arrivés dans les années 1960 pour accompagner la modernisation et la croissance économique du pays au lendemain de la Seconde Guerre mondiale. Rares sont ceux, pourtant, qui perçoivent les raisons économiques françaises qui les ont encouragés à venir, pas plus que leur réelle motivation personnelle à l'avoir fait.

Au mieux, ces enfants accèdent à l'histoire selon le programme choisi par notre ministère. Chacun sait que la place laissée à la période coloniale y est tout à fait insuffisante. C'est pourtant cette histoire qui explique leur présence et peut-être leur révolte.

Ils vivent si souvent dans le dénuement que toute justification économique à l'immigration de leurs parents leur paraît absurde. Les fiches de rentrée mentionnent trop souvent un père au chômage ou en longue maladie, une mère femme de ménage, parfois « agent d'entretien », pour légitimer cet exil.

L'eldorado des années 1960. Qu'en reste-t-il aujourd'hui ? Quels sont ceux qui en ont profité ? Ceux-là n'ont pas inscrit leurs enfants dans nos lycées, ils n'habitent pas les « quartiers ».

Quels sont donc les obstacles insurmontables à l'explicitation détaillée de l'époque coloniale, à l'élargissement de cette partie du programme ? Ce silence pesant nous protège-t-il d'une histoire peu flatteuse ? Pourquoi différer la restitution à ces enfants d'une histoire *réfléchie*, aujourd'hui révolue ?

Ignorons-nous vraiment que tout refoulement, toute inhibition fait retour ? Jamais comme on le voudrait. Jamais quand on le voudrait.

Sauvageon on me nomme

Face à cette double douleur de n'être ni ceci ni cela, d'abord comme tout adolescent, ensuite comme hybride, nombre d'entre eux ne parviennent pas à s'inscrire dans la norme. Peut-être est-ce ce qui a inspiré à Chevènement ce « sauvageon » qui a fait mouche. Pas seulement une remarque en passant, mais un terme pour les désigner, un nom qui donne sens à leur existence chaotique.

S'est-on suffisamment interrogé sur le sens d'une telle appellation ? Au-delà de son inconséquence ? Le suffixe en adoucit beaucoup la portée et en atténue l'agressivité. Mais il est indéniable que sa racine relève de la barbarie, du non-civilisé, du « primitif » dans sa signification méprisante. On peut bien sûr interpréter ce terme au sens le plus acceptable : tout enfant, pour être éduqué, s'éloigne progressivement de son état biologique, donc primitif. Accéder à la connaissance et à l'assimilation de la civilisation suppose qu'il quitte l'état de petit animal plus proche de son plaisir que de son rôle social.

Mais on peut aussi bien comprendre que ces enfants sont porteurs d'habitudes et de conduites venues de cultures autrefois jugées inférieures à la nôtre. Une conception qui fait écho à la représentation coloniale insuffisamment étudiée, digérée, assumée, laissant place à tous les fantasmes.

Comment s'assurer que ce n'est pas précisément cette signification méprisante qui a été entendue et retenue par une grande partie de cette jeunesse désignée ? Comment savoir si l'image du sauvageon n'a pas été le premier pas important vers une conscience de soi renvoyée par l'ancien colon ?

Dans ce cas, la reconnaissance d'une identité leur serait venue bien tard et bien maladroitement.

Porteurs d'une histoire singulière, jamais ils n'ont été reconnus pour eux-mêmes ou pour leur manière propre de trouver une place à l'école comme dans la société. Ils n'ont entendu parler d'eux que lorsqu'une petite frange, plus violente, plus désespérée, a commencé à se faire remarquer en s'attaquant plus ou moins directement au bien d'autrui ou aux symboles de la République.

Aucune raison de faire ici un procès d'intention à Jean-Pierre Chevènement. Il s'agissait seulement de qualifier une poignée d'agités, brûleurs de voitures. Mais le terme a fait florès. Il a crû, s'est développé dans les discours et a envahi la presse.

Il est resté.

Son succès, sa répercussion dans le public et son installation dans le vocabulaire courant montrent qu'il a touché juste. Qu'il a immédiatement fait sens. Qu'il ait fait rire, sourire, qu'il ait révolté ou emporté l'adhésion, il a marqué. Profondément ancré dans les mémoires, il est devenu le seul vocable faisant l'unanimité, permettant de faire référence à toute une jeunesse stigmatisée par ce terme. Ces enfants des banlieues étaient ignorés jusqu'à ce qu'on leur trouve un nom. Jusqu'à ce qu'on les désigne, ils étaient sans spécificité, des hommes sans qualités. Adossés à leur propre histoire, ils se débrouillaient comme ils pouvaient pour se construire, sur du sable, une identité nouvelle, distincte de celle de leurs parents. « Les sauvageons ».

Une fois nommés, la société, qui prenait progressivement conscience de leur existence et de leur différence, pouvait les évoquer. Une fois nommés – sans acrimonie, mais avec cette pointe de mépris paternaliste – ils prirent violemment conscience de l'image que les Autres se faisaient d'eux et de leur différence.

Les micros tendus

La presse, véritable caisse de résonance et vecteur de l'air du temps, dessinait trait par trait leur image. Les jeunes, quant à eux, pouvaient à leur tour se reconnaître ou s'inventer dans ce miroir réfléchissant qui, enfin, témoignait de leur existence.

Aujourd'hui, le mot a lassé, mais l'idée n'a pas disparu. Ils sont « les jeunes des quartiers », sans distinction, toujours sans nuance.

Dira-t-on assez la responsabilité que porte la presse dans cette gigantesque et insouciante manipulation ? Entre le silence et les mots menteurs, évocateurs ou producteurs d'images d'Épinal, le choix s'est fait tout seul.

Que visent les quotidiens en déversant, *in extenso*, les paroles de ces jeunes qui sont censés dire ce qu'ils pensent ? Faudra-t-il revenir à la vieille critique du béhaviorisme pour rappeler que le contexte détermine le choix des conduites et des mots ? Qui croira ces adolescents suffisamment idiots pour ignorer qu'ils parlent à des journalistes ? Comment gommer l'influence pernicieuse des questions qui n'apparaissent pas et appuient sur telle ou telle remarque plus évocatrice qu'une autre ? Dans *Le Monde* : « L'année dernière, le supermarché a été braqué par quatre individus encagoulés. Wallah, je te jure, la patronne a dit que c'était des Maghrébins… » et plus loin, à propos de la difficulté de trouver du travail, une jeune fille : « C'est vrai, ça fout les morts. Faut pas s'étonner après si les Arabes vendent du shit ou volent. Faut de la caillasse. ».

Après le reportage, en 2004, d'Élie Chouraqui – dont la sincérité n'est pas en question –, les établissements juif et public de Montreuil mettront plus de temps encore à rapprocher les communautés, à lutter contre les préjugés, à réduire les barrières culturelles, économiques, sociales… Bref, à faire travailler les enfants ensemble. *Idem* en ce qui concerne le lycée Turgot à Paris, laissé à feu et à sang par un journaliste peu scrupuleux. Il faudra oublier les querelles médiatiques et leur cohorte de micros tendus. Quart d'heure d'existence publique et de gloire mal acquise. Même le rocher de Sisyphe, à côté du nôtre, n'est qu'un vulgaire gravier.

Il s'agit d'*accrocher* l'attention du public. Tout le monde le sait, aucun journal n'y échappe. Sur d'autres sujets, on trouvera dans *Libération* : « Ce que j'ai trouvé chelou, c'est que le mec, il m'a amenée dans une cave toute pourrave, ça puait, et là, à ma grande surprise, il y avait une quinzaine de keums… » Ou dans *Le Figaro* : « C'est vrai, quoi, vous z'avez pas de meuf. » Le « z » était-il bien utile ?

Pure démagogie ?

Sinon, pourquoi rapporter aux oreilles du lecteur moyen du *Monde* ou de *Libération* ce langage choquant, inhabituel ? Le verlan a beaucoup amusé le petit milieu médiatique parisien. Une mode. Les mots et l'accent des banlieues ont pris le relais dans *Les Guignols de l'info* à une heure de grande écoute. Ce sont trois marionnettes stupides, vulgaires et roublardes qui représentent ces « jeunes de banlieue ». Suffisamment colorées pour chasser le moindre doute.

Les journalistes qui citent avec tant de délice ces mots à l'envers, ces phrases tronquées, ces sentences répétées, préjugées, pas même PENSÉES, visent-ils vraiment l'information ? Savent-ils la difficulté que nous avons à faire entendre à nos élèves que ces termes ne sont pas français, qu'on ne peut pas les écrire, qu'ils sont indignes d'une dissertation rédigée, d'une pensée élaborée ?

Les rédactions tiennent-elles compte des répercussions de leurs choix éditoriaux ? Se sentent-elles responsables de l'image qu'elles fabriquent au fil des sujets traités ? Imaginent-elles que cette nouvelle notoriété soit sans conséquence dans nos classes ? Naïfs, légers, indifférents… avides, qui s'en soucie quand il s'agit de se distraire ou, mieux, de vendre du papier sur la bête ?

La presse caricature, nous nous battons pied à pied sur le terrain.

Parfois, elle détruit, en l'espace d'une émission, des années d'effort.

La description qu'on faisait d'eux était négative? Restaient deux solutions : se battre pour y échapper ou tout faire pour correspondre à cette image. Enfin une identité, enfin une reconnaissance.

Sauvage on me nomme, sauvage je serai.

Beaucoup s'y sont laissé prendre. Sans doute est-ce moins difficile de se conformer à une identité induite, attendue et projetée, quand on a dix-huit ans (ne l'avons-nous pas fait nous-mêmes?), que de lutter pied à pied, pour convaincre une société qu'on n'est pas condamné à la délinquance, quelles que soient les conditions socio-économiques reçues en héritage.

Mais comment échapper à une image révélée de plus en plus nettement par une ghettoïsation qui se généralise dans les lycées de banlieue? Peu à peu, les noms à consonance française se font plus rares. Sont-ce les familles qui quittent le 93 ou seulement les enfants, qu'on a jugé bon de scolariser de l'autre côté du périphérique? Nous ne le savons jamais précisément. Sauf par inadvertance, à partir de vagues statistiques, de rencontres aléatoires, de hasards.

Reste la conviction.

Sur le terrain, tout le monde se bat : les enfants pour « tenir » ; les professeurs pour maintenir l'enseignement de leur discipline ; quant aux proviseurs, ils élaborent de savantes stratégies de réussite, pour répondre aux subtiles stratégies d'évitement de leurs lycées. Combat féroce pour conserver l'enseignement des langues anciennes (malgré de tout petits effectifs) au sein des établissements de banlieue, installation d'options et de langues rares (théâtre, histoire de l'art, chinois, japonais) création de classes préparatoires aux grandes écoles. Tous ces efforts sont sans cesse suspendus, d'abord aux capacités des élèves à les faire perdurer, ensuite aux décisions des rectorats qui gouvernent les lycées selon des impératifs parfois strictement économiques, parfois moins… strictement. Les options chèrement acquises vont et viennent au gré des crédits, des mutations ou des départs à la retraite.

C'est une guerre constante et discrète qui se déroule dans les ZEP où professeurs et proviseurs se débattent, d'abord pour survivre à la violence, toujours latente. Enfin, pour conserver une chance à ces enfants de profiter de l'école de la République.

Certains y parviennent, malgré les difficultés, ils choisissent la voie étroite et s'en sortent avec les honneurs de l'école. Mais qui en parle ? Combien de reportages sur la violence dans les « quartiers » pour une étude décrivant la vie quotidienne d'un lycéen de terminale ou d'un étudiant vivant en banlieue ? Quand Sciences Po décide d'offrir une nouvelle voie d'accès aux enfants des banlieues, combien d'insinuations, d'attaques, d'injures même, pour une si discrète reconnaissance de son efficacité et de l'espoir généré par une telle mesure, quelques années après ?

La stratégie de la brèche

Les élèves de ZEP ne se présentent pas à Sciences Po. Faute d'information ou de capacités ? Pour ne pas trahir leur classe sociale d'origine ? Par crainte de l'échec ; ou tout simplement par une forme de conformisme liée à l'auto-censure ambiante ? Certains, comme Samia, encouragée par son professeur de français en classe de première, avaient secrètement envisagé de tenter le concours d'entrée, mais y ont renoncé devant les nombreuses difficultés.

Après s'être informée auprès de la conseillère d'orientation du lycée, avoir redoublé d'efforts pour progresser, glané ici et là toutes les informations lui permettant d'affiner son projet, elle tomba malencontreusement sur un reportage télévisé qui la découragea définitivement. Elle y apprit pêle-mêle que les frais d'inscription étaient très élevés et que les études elles-mêmes étaient non seulement exigeantes mais coûteuses. Elle découvrit que la majorité des élèves lauréats du concours avaient effectué leur scolarité dans les meilleurs lycées de Paris et de province, que les familles habitaient les quartiers chic, qu'ils avaient fréquemment l'occasion de faire des séjours à l'étranger. Changer son projet ne prit que quelques secondes. Elle passa en revue sa propre situation : fille d'ouvriers, habitant une banlieue populaire, inscrite dans un lycée du 93. Une rapide analyse la conduisit à déclarer forfait et à conclure qu'on pouvait être à la fois bonne élève et trop naïve.

Après avoir vérifié, une ultime fois, que les « grandes écoles » clonaient, à l'infini, la même classe sociale, et conscient de l'inanité de faire perdurer un tel système, le directeur de Sciences Po, Richard Descoings, décida d'instituer, en 2001, une nouvelle procédure d'admission s'adressant spécifiquement aux élèves des établissements situés en zone sensible.

Cette proposition nous apparut comme un argument de poids vis-à-vis des élèves. Autant dire une bonne raison de continuer à se battre. Une vraie perspective. Les conséquences de l'intérêt de cette prestigieuse école parisienne pour les élèves des lycées classés ZEP ne manqueraient pas d'être nombreuses.

Sciences Po ouvrait une brèche qui ne pourrait se refermer de sitôt. Restait à savoir si nos élèves y avaient intérêt et *s'ils apprendraient bien, après quelques chutes, à marcher,* selon la célèbre formule kantienne. La tentation était grande, en effet, de partir d'un cœur joyeux à l'assaut de l'un des bastions les plus élitistes de notre enseignement pour montrer au monde que nous formions des élèves capables d'accéder aux meilleurs enseignements. Mais la responsabilité nous en revenait et le risque était de taille.

Nous veillerions à ce que la transition se déroule aussi bien que possible en instaurant un tutorat capable de soutenir les lauréats sur l'ensemble de l'année. Parmi une douzaine de postulants, Samia se lança sans hésiter dans la bataille. Elle fut reçue.

Délit de sale gueule

Les quelques élèves concernés par la proposition de Sciences Po, ceux que nous considérons comme les «meilleurs», sont aussi issus de cette immigration douloureuse. Ils ont refait le voyage d'Ulysse. Ils ont traversé Charybde et dépassé Scylla. Leur mérite est immense et nous le savons. Mais leurs qualités ne les protègent pas spontanément de l'ostracisme scolaire. L'exclusion d'une société ne s'opère pas seulement à partir du délit de sale gueule. Paradoxalement et souvent inconsciemment, le système scolaire, lui aussi, a ses bannissements et les correcteurs des concours ont le regard plus affûté, plus perçant, plus scrutateur et sélectif que celui des policiers. Être culturellement en règle est bien plus subtil et complexe que de l'être légalement.

Le projet de Richard Descoings était d'autant plus ambitieux qu'il secouait des habitudes mentales enracinées depuis plusieurs générations dans toutes les couches de la population française, aussi bien à l'extérieur qu'à l'intérieur de l'auguste maison.

À droite comme à gauche, rares sont les personnalités qui l'ont soutenu officiellement. Le plus souvent, nous n'avons pu compter que sur les collaborateurs bien informés de l'IEP. Les uns membres du conseil d'administration, les autres professeurs, intellectuels et chefs d'entreprise plus ou moins liés à cette gigantesque usine à savoir et à penser.

Quand le projet a commencé à prendre corps, la rancœur de certains – étudiants lauréats du concours de Sciences Po (la plus compréhensible), adultes anonymes, intellectuels à la vue basse – m'a littéralement sidérée. S'engager dans une stratégie d'intégration devait nous contraindre à laisser là les états d'âme pour livrer une véritable bataille rangée.

La scène la plus cynique et la plus frappante à mes yeux eut lieu au cours de la présentation officielle du projet devant les étudiants de l'IEP. Un jeune homme, sobre t-shirt blanc et mèche romantique, admettant les difficultés économiques de nos élèves, lâcha, excédé : « C'est d'accord, ces élèves ont des difficultés financières, qu'on leur donne de l'argent ! » et, en écho, la voix de Marie-Antoinette me chuchotait : *Les paysans n'ont plus de pain, qu'on leur donne de la brioche !* Cette stupide remarque témoigne, à elle seule, de l'ignorance, mais surtout du mépris qui gangrène trop de consciences.

Explicite ou implicite, les jeunes des banlieues connaissent ce discours aux relents de colonialisme. Au-delà de la provocation, cette prescription d'un futur diplômé de sciences politiques révèle l'insouciante indifférence qui fait le fonds politique de certains futurs cadres de la nation, le lit de l'exclusion sociale, enfin le succès des nombreux imams et gourous qui se glissent dans les interstices de la République.

Je dois à la vérité d'ajouter qu'en moins de temps qu'il avait fallu à ce garçon pour prononcer cette ineptie l'hostilité manifeste de la salle s'était retournée à notre avantage.

Un projet impertinent

Tout aura été dit et écrit sur ce projet. Les médias se sont faits l'écho, non seulement des véritables interrogations qu'il a suscitées, mais aussi des horreurs d'un vocabulaire digne des plus belles heures de notre histoire : les élèves ont été comparés par Geneviève Zehringer, présidente de la société des Agrégés, à des « boat people » dont personne ne voudrait. Ou encore, par d'autres, à « quelques barbares que l'empire aurait décidé de romaniser ». Lequel d'entre ces brillants auteurs a mesuré les fondements et les répercussions de ces expressions ? En quelques mots, tout est dit : l'immigration, l'exclusion, l'indifférence, les reliefs de colonisation qui polluent encore certaines décisions, et surtout l'inconséquence de ces beaux esprits. Se sont-ils interrogés sur le point de savoir ce que les yeux et les oreilles de ces barbares allaient tirer de ces références choisies ?

Face à ce débordement de colère, je compris que les enjeux devaient être plus ambitieux encore que je ne l'avais imaginé. C'est finalement le battage médiatique qui révéla toute l'impertinence du projet. Non seulement l'élite se révoltait, mais nombre d'entre nous perdaient, de surcroît, la moitié de leur carnet d'adresses à la suite de dîners animés.

Là encore, qu'est-ce qui clochait ? Ceux qui restaient paisibles, rationnels, cyniques parfois, devant les situations les plus terribles – la misère de nos villes, ses sans-papiers, sans-logis, sans-travail, le Moyen-Orient, le sida en Afrique – laissaient exploser leur rage pour une tentative de reconnaissance des capacités de jeunes gens que l'école française et républicaine avait formés. Quelle menace terrible justifiait ce déferlement de vocabulaire impropre, irresponsable ?

Cette fureur, exprimée ici ou là de la plus mauvaise manière, les réactions démesurées devant ce qui se réduisait, malgré tout, à une simple question de formation, me conduisit d'abord à une mobilisation exigeante et sans réserve, puis, plus tard, à une tentative d'analyse des raisons cachées d'un tel tollé. Il me fallut bien reconnaître que l'idée d'intégrer réellement ces enfants d'immigrés méritants, en tenant compte de leur parcours, de leur passé personnel, de l'histoire de leur famille, était, pour nombre de penseurs français, irrecevable. Rappelons que les discussions portaient la première année sur un groupe d'une trentaine d'élèves. Dix-sept ont été reçus au cours de la première promotion. Difficile d'en faire une menace à l'échelle nationale. Mais le combat n'a pas cessé. L'année suivante, l'année d'après…

De nombreux débats ont eu lieu où la parole s'est ouverte aux témoignages surprenants d'étudiants de Sciences Po entrés par la voie traditionnelle. Anciens élèves de zones sensibles, ils livraient, devant un amphithéâtre bondé, leur origine sociale et culturelle, leur succès au concours et les difficultés à s'intégrer dans ce temple du savoir. Mais aussi du pouvoir, à la fois tendance et tradition. Ils déclaraient gravement leur soutien au projet, leur volonté de s'investir dans l'aide et le tutorat aux futurs entrants. Ils avaient saisi la nécessité de prendre en compte les différences et les inégalités véhiculées et reproduites, *ad libitum*, par nos démocraties.

La reproduction des élites

Pourquoi ne pas les entendre ? Pour quelques miraculés du concours, combien sont découragés avant même d'essayer ? Le système spécifiquement français des grandes écoles, louable à bien des égards, est aussi le champion de la reproduction sociale des élites. On fait Sciences Po, Polytechnique ou Centrale de père en fils ou en fille. Ce système engendre stagnation et immobilisme. Il retarde aussi bien l'intégration des populations immigrées que, du même coup, l'adaptation de notre pays à l'économie et à la politique internationales.

Courageusement, l'enseignement supérieur, dit d'excellence, a su troquer sa superbe contre l'aveu d'un déficit en pluralité et la nécessité de représenter l'ensemble des enfants français plutôt que de stériliser sa vitalité dans la sempiternelle reproduction d'une même classe sociale. L'établissement dont on aura tout dit, tout redouté, tout attendu, aura, le premier, pris le risque de bousculer les usages.

Pourtant, osera-t-on parler d'une véritable volonté d'intégration en France ? La première année, la démarche est restée très isolée. Seule une détermination farouche a permis l'improbable rencontre entre les lycées de zone sensible et l'enseignement d'excellence. Par la grâce d'un directeur plus conscient de sa responsabilité ou plus avisé des dangers à venir, l'Éducation nationale est sortie de son train-train sclérosant. Elle accomplit sa mission. Malgré les déclarations des uns et des autres, la Convention éducation prioritaire affiche aujourd'hui un peu plus de cent trente étudiants répartis sur les quatre premières années.

Une greffe réussie

Quelques-uns de nos amis nous évitent, mais le résultat est là. Les élèves de ZEP travaillent, réussissent aussi bien que les autres, parfois mieux. Ils sont reconnus pour leur valeur intellectuelle et contribuent mieux que n'importe quelle campagne d'information à ruiner les clichés accrocheurs de sauvageons en mal de violence. Petit à petit, les étudiants se découvrent, on apprécie la démarche du voisin, son honnêteté, son questionnement, ses précautions. Même si, au-dehors, les mondes s'ignorent de façon étonnante, ici, pas de bluff. Au fil des débats et des jours, les disparités s'atténuent, la défiance disparaît. Les Cassandre de tout poil se font plus discrets, la greffe est déjà réussie. Nos anciens élèves travaillent beaucoup. Ils apprennent autant que possible, ils en ont fait une idée fixe. Aucun effort n'est superflu et, pour l'heure, leur but est encore souvent de retourner dans leur pays d'origine, armés de ce qu'ils apprennent, pour y modifier les figures du pouvoir.

Rien de ce qui fait craquer et croustiller l'*intelligentsia* ne les effleure. Pas de distance excessive vis-à-vis de Sciences Po, pas de « recul » qui les conduirait à se sentir traîtres à leur classe d'origine (laquelle, du reste ?). Ce regard-là est occidental, nanti, intérieur. Eux ne voient qu'une prestigieuse école qu'ils sont fiers d'avoir intégrée et qui, pensent-ils, recèle tous les trésors du savoir. Ils en sortiront avec armes et bagages. Armes contre l'ignorance, l'oppression, le mépris. Mais surtout bagages, pleins de connaissances supposées leur fournir une certaine maîtrise face au chaos déstructuré dont leur vie est souvent issue.

L'armée des zepicides a persévéré dans la rage. Quelques étudiants reçus sur concours persiflent. Quant à nous, nous faisons notre travail de pédagogues, la volonté tendue vers l'essentiel de notre métier : être capables de distinguer et de valoriser le potentiel des élèves.

Peut-on mieux dire qu'il s'agit là d'une véritable voie d'intégration, même si elle est encore étroite ? Loin d'être un gadget, cette procédure engendre des changements durables. Passés par Sciences Po, ces étudiants intégreront tous les rouages de l'encadrement français : politiques, bien sûr, mais ils deviendront aussi chefs d'entreprise, recruteurs, journalistes, chercheurs... À tous ces degrés, ils pèseront directement sur les équilibres de la société. Est-il nécessaire de préciser qu'un directeur des ressources humaines issu de l'immigration sera sans doute moins enclin que d'autres à l'ostracisme devant les patronymes à consonance étrangère ?

Outre le salut personnel de tel ou tel élève méritant, l'intervention directe de populations pluriculturelles (naturellement bilingues ou trilingues, possédant souvent une double nationalité) à des postes clefs de la vie économique, politique ou administrative devrait permettre une amélioration de l'adaptation de notre vieux pays à un contexte de plus en plus mouvant et international. La question n'est pas ici d'en juger l'opportunité mais d'en affirmer la nécessité. Cette expérience qui, dès la première année, m'était apparue comme une évidence, prend un autre sens aujourd'hui, plus profond, plus conséquent encore.

Après quatre années convaincantes, l'expérimentation de Sciences Po a fini par donner lieu à de nouvelles tentatives. Temps bien court selon les responsables politiques, mais qui a paru une éternité à mon impatiente détermination.

La Conférence des grandes écoles, instance suprême et décisionnelle, regroupant plus de deux cents écoles, vient enfin de s'engager dans un processus équivalent en créant une commission « Égalité des chances ». La simple reconnaissance des difficultés scolaires et des injustices liées aux origines socio-économiques est un progrès décisif dans le dépassement des tabous. Signe d'une prise de conscience accrue, plus de cinquante grandes écoles se sont d'ores et déjà engagées à mettre en place des classes préparatoires destinées aux élèves des lycées de zone sensible ou à leur ouvrir leurs portes dès la classe de seconde pour susciter leur motivation et les inciter à se mettre au niveau de leurs exigences.

Dès lors que l'on échappe à une politique des quotas qui risquent toujours de délégitimer les individus concernés, toute modalité proposée contribue à enrichir la démarche inaugurée par Sciences Po.

Souhaitons que cet engagement mette définitivement fin aux dialogues non aboutis, aux velléités, aux portes restées fermées. Qu'à leur tour, toutes les autres institutions soient tentées et que les capacités et le mérite soient partout débusqués, partout accueillis, partout développés. La voie est ouverte.

L'idée que ce genre d'expérience est destiné à essaimer et se multiplier jusqu'à permettre une véritable égalité des chances s'appuie sur la conviction que nous pouvons encore faire notre métier. C'est-à-dire chercher à améliorer les procédures de sélection des élèves ; permettre une meilleure circulation d'un établissement scolaire à un autre ; mettre en place des circuits d'ouverture et d'échappement aux ghettos de nos lycées sensibles. Je suis convaincue qu'il est de notre responsabilité d'éducateurs de fournir les repères culturels qui permettent aux élèves de sortir de cet enfermement des quartiers, des conditions socio-économiques dans lesquelles ils croupissent trop souvent pour profiter de ce que notre République déclare constituer un droit. Celui de pouvoir accéder à un métier, à une fonction, voire à une classe sociale selon son mérite.

Mais ces innovations supposent que les établissements aient le courage d'affronter les changements nécessaires. Élaboration de nouvelles procédures d'intégration ou de recrutement, mais aussi attention à un public différent, modification des équilibres en place, capacité des professeurs à s'adapter. Quelles que soient les inquiétudes au fond desquelles nous plongent nos habitudes mentales, notre frilosité, notre réticence naturelle aux grands bouleversements, il nous faut reconnaître que le partage d'un savoir commun et la vie collective au sein d'une classe peuvent seuls venir à bout des obstacles – réels ou supposés – qui divisent les communautés.

Contre d'autres maîtres

Intuition ou informations, qu'est-ce qui a conduit la direction de Sciences Po et quelques hommes politiques – un très petit nombre, en fait – à proposer un tel projet ? Il suffit de se reporter à la presse de l'époque pour constater à quel point l'idée a choqué. Étaient-ils les seuls à avoir anticipé l'avenir des « quartiers » ? Pensaient-ils déjà qu'ils pourraient devenir, à plus ou moins court terme, de véritables poches de résistance dont personne n'évaluait vraiment à quoi et sous quelle forme ?

Il est plus difficile que jamais de trancher et de décrire d'un trait de plume les élèves de nos lycées. Ils sont de moins en moins homogènes. Certains s'appuient sur cette nouvelle procédure pour étayer un projet personnel. Ils y voient le moyen de réaliser une vie professionnelle autonome et libre. L'espoir généré par Sciences Po contribue à encourager chaque année de plus en plus d'élèves. La qualité du travail fourni, le sérieux et la conviction de ceux qui ont décidé de participer à la procédure sont patents.

Il était largement temps que cette pertinente entreprise ait les répercussions voulues. Car le climat dans nos lycées s'est modifié depuis 2001. Durant ces trois dernières années, certains élèves semblent avoir pris quelque mystérieuse distance avec l'institution scolaire.

Silencieusement, ils échappent à notre enseignement. Présents en classe, leur conduite est méfiante, distanciée. En seconde, naïvement, les plus jeunes signifient parfois qu'ils n'adhèrent plus aux valeurs que l'école leur propose. En classe de terminale, les plus âgés le taisent.

Jusqu'ici, j'avais la faiblesse de croire que l'école laïque était la principale source de savoir. Mais les véritables tentatives d'intégration sont encore insuffisantes, dans une société qui oscille entre ignorance et rejet de l'autre. L'impossibilité d'être reconnus pour leurs qualités propres conduit inéluctablement ces enfants à trouver des références parallèles dont nous ignorons les destinations.

D'autres maîtres se sont mis en route, d'autres meneurs ont compris l'intérêt de se rallier la force non négligeable – électorale de surcroît – de milliers de jeunes gens. Et l'on a vu fleurir, plus ou moins discrètement, des prêches, religieux ou politiques, qui risquent de nous laisser sur la touche si nous persistons à les occulter.

Descartes ? Un malin

Nécessité fait loi. Il nous faudra bien prendre en compte la diversification de notre public. Dans nos lycées situés en zone d'éducation prioritaire, l'école est aujourd'hui très largement métisse.

Pas seulement en couleurs, mais en coutumes, en conduites, peut-être aussi en structures de pensée. C'est sans doute là le point le plus sensible et le plus déstabilisant pour les professeurs.

Il nous faut accepter d'ouvrir les yeux et de reconnaître que notre environnement s'est diversifié. Refuser d'en tenir compte c'est nier la réalité scolaire, politique et historique.

Mais les livres ne nous secourent plus, nos vieux réflexes d'apprentissage sont inopérants. La connaissance approfondie des cultures d'origine de ces enfants en morceaux ne nous livre pas leur secret, car nos élèves sont loin d'en être de « purs produits ».

Ils sont eux-mêmes à la croisée de multiples influences. La génération d'aujourd'hui nous étonne. Elle témoigne à la fois d'une culture transmise en famille et de la société dans laquelle elle apprend, partage, se distrait, consomme, s'informe. Quand bien même les fondements de l'une et de l'autre seraient antagonistes.

Dans ce laboratoire qu'est la classe, je commence à douter de la nécessaire reconnaissance de notre savoir. Confrontés à un phénomène nouveau que personne ne semble clairement appréhender, ni prendre véritablement en charge, comment trouver les réponses adéquates, tout en continuant de transmettre notre discipline ? Le plus souvent, nous nous débrouillons, comme nous pouvons, au coup par coup. Chacun avec son style, sans pouvoir réellement échanger nos pratiques.

« Trop fort, ce Descartes ! »

Naturellement, j'eus souvent à m'interroger sur la nature de l'enseignement français en Afrique noire et sur mon expérience professionnelle sur place. Lorsque, à la fin des années 1970, *Le Monde* publia le témoignage d'une jeune enseignante de philosophie, cela me fournit une véritable matière à réflexion. La jeune femme, fraîchement débarquée d'Europe, relatait son expérience dans un pays d'Afrique de l'Ouest.

Pensant, à juste titre, qu'enseigner la méthode cartésienne, dans sa clarté, sa rigueur, son évidence, ne pouvait qu'éclairer les élèves sur les attentes du professeur aussi bien que sur la sacro-sainte dissertation de philosophie de fin d'année – si souvent responsable des angoisses paralysantes au baccalauréat –, elle inaugura l'année avec le *Discours de la Méthode*.

Afin de présenter l'auteur, la jeune femme entreprit d'expliquer les principales idées développées dans le fameux *Discours* et les *Méditations*. Tout se passa au mieux. Elle voyait les élèves suivre avec intérêt la logique implacable qui permet à Descartes d'enchaîner les arguments pour parvenir sans trop d'encombres jusqu'à l'imparable conclusion qui a fait son succès : « Je pense, je suis. »

À la fin de son exposé, elle eut la surprise de voir s'exclamer les élèves, les entendre applaudir le joli tour d'une telle pensée, rire de tant d'adresse et conclure : « Trop fort, le gars est trop fort. » Elle comprit que les élèves avaient parfaitement suivi le déroulement de la pensée cartésienne, ils en avaient admiré l'efficacité, mais cela n'influençait d'aucune manière leur propre conception de la pensée, de la liberté ou de Dieu. Preuve, s'il en fallait, que la raison n'emporte pas nécessairement l'adhésion. Ils ne voyaient nullement le rapport de nécessité entre une croyance et sa démonstration rationnelle. À leurs yeux, Descartes était juste un malin, un peu plus malin que les autres.

Cet article, passé relativement inaperçu, me paraît aujourd'hui annonciateur de ce que nous voyons, par instants, à l'école.

Le principe de raison in*suffisante*

Notre assurance ou notre arrogance culturelle nous interdit de le comprendre ou de l'accepter,

mais la raison logique ne fait plus systématique-
ment recette. Elle convainc surtout celui qui en
a assuré la promotion. Celui qui l'a élue comme
la valeur ultime, incontestable. Celui qui l'a éle-
vée au rang de seul et unique critère de réflexion
et de jugement.

Nos élèves y sont parfois insensibles. Une
démonstration rationnelle ne fait pas toujours
l'unanimité, n'emporte pas toujours l'assentiment. Surtout si sa conclusion vient heurter des
convictions, des croyances qui la contredisent.

Alors même que j'écris ces lignes, je me dis,
moi aussi : comment réfléchir autrement ? Que
vaut une pensée qui s'appuie sur d'autres critères ?
Une conduite qui méprise l'argumentation dis-
cursive ? Là encore, je reste hybride : sensible à
une démarche différente de la pensée scientifique, respectueuse des valeurs non fondées en
raison, je suis littéralement impuissante à en justifier l'adhésion. Les élèves de ce jeune professeur, comme les miens, connaissent les arguments
de Descartes. Pourquoi, comment y résistent-ils ?

Du reste, y résistent-ils vraiment, ou sont-ils tout
simplement amusés d'une question qui ne se pose
pas pour eux ? Du moins pas dans ces termes.

Nous pouvons sans aucun doute transmettre
des raisonnements, des analyses, des démonstra-
tions, mais les vraies distinctions entre les différentes cultures ne portent-elles pas plutôt, sinon
sur les questions, du moins sur la façon dont les
questions apparaissent à celui qui se les pose ?
Dans ce cas, on comprendrait mieux ce qui fait

obstacle au partage de la culture. Si la question est artificielle ou vaine, que peut valoir la réponse ?

Si l'origine de l'humanité, résolue d'avance, ne pose pas problème, qu'avons-nous à faire de la réponse darwinienne ?

Que savons-nous des considérations qui conduisent le croyant à croire ? Qu'en sait l'école ? Qu'en dit-elle ?

Elle a, depuis si longtemps, été épargnée par les querelles de croyances religieuses qu'il est bien difficile aux professeurs de savoir comment y répondre.

Nous l'avons oublié.

Au fond, sommes-nous sérieusement sortis de la conviction que la raison logique s'impose d'elle-même ? Qu'elle n'est pas un choix du monde occidental, mais que c'est l'évidence de la vérité qui nous a conduits à la respecter, lui obéir ou, mieux (pire ?), à la vénérer ; que le déterminisme scientifique est le seul modèle de toute réflexion valide et vraie à la fois ?

Rares sont les enseignants qui en doutent.

Il serait bêtement alarmiste de prétendre que l'opposition est générale. *A contrario*, il serait parfaitement inconséquent d'en taire les manifestations, même si la contestation ouverte du savoir ne concerne, dans l'établissement où je travaille, que quelques rares élèves musulmans, farouchement pratiquants.

Pourtant, ce qui commence à poindre me désarme et me trouble.

Jusque-là, il apparaissait clairement que, plus le niveau scolaire des élèves était élevé, plus ils étaient dociles à la raison et capables à leur tour de la manipuler. Pas surprenant, d'ailleurs, puisque la sélection s'opère précisément à partir de ses critères.

Toutefois, aujourd'hui, en terminale, y compris en terminale scientifique, quelques-uns contestent tout de même ce que nous donnons comme rigoureusement établi par cette raison et donc, à nos yeux, incontestable.

Ce qui est nouveau dans mes classes, c'est la manifestation d'un *certain* refus de *certaines* données du savoir rationnel. Au mieux, l'instauration, plus prudente, d'une distance silencieuse entre ce que les élèves apprennent et ce qu'ils pensent.

Le savoir de l'école n'est pas toujours ouvertement contesté, mais il peut aussi être méprisé, ou sans aucune influence sur les auditeurs. Je suis parfois frappée de voir les élèves noter sans broncher, enregistrer, utiliser des théories d'auteurs ou des arguments dont ils contestent la valeur. Quelle est leur motivation ? Que veulent-ils ? S'agit-il d'une nouvelle instrumentalisation du savoir ? Ils reconnaissent qu'il leur faut des diplômes pour s'insérer socialement. Passent-ils les examens à leur corps défendant ?

Cette impression de n'avoir en retour que l'écho de ma propre voix m'effraie de temps à autre. Cela m'amène à songer que je parle peut-être une autre langue. La langue du rationalisme critique, celle d'un Occident moderne qui ne serait plus celle de mes élèves.

Comment savoir si ces nouvelles conduites témoignent d'un combat historique, politique ou religieux ? Font-ils eux-mêmes la distinction ? S'agit-il pour eux de s'élever, au sein de l'école, contre la pensée occidentale, symbole d'une certaine hégémonie internationale, ou tout simplement de rejeter la raison critique, soupçonnée de menacer la validité des croyances religieuses ?

Les élèves sont destinés à contester, à s'opposer, à récriminer. Nous savons que c'est à ce prix qu'ils affermiront leur personnalité, qu'ils élaboreront leur propre pensée, qu'ils déjoueront aussi les pièges d'influence. Et parfois, les imprécisions ou les erreurs de tel ou tel d'entre nous. Ce n'est donc pas la contestation en tant que telle qui pose problème, mais la forme qu'elle emprunte.

Lorsqu'un élève prétend rester indifférent à la mort, au motif qu'il trouvera à son arrivée sur l'autre rive « soixante-dix jeunes filles vierges aux grands yeux », c'est à la fois la rationalité et toute la problématique philosophique qui échappent et se vident de tout contenu. L'idée même de s'interroger est définitivement ruinée.

Feignant de considérer cette intervention comme une plaisanterie, je ne sais encore que sourire. Inutile de chercher à savoir si « la vie vaut la peine d'être vécue » si le sens de la mort est acquis. Camus ne fait pas le poids. Il n'a même plus lieu d'être. Shakespeare non plus, du reste : « Être ou ne pas être » ne fait plus problème.

Mais Tarek ne rit pas, il est pensif.

Ces remarques-là ne fusent pas en cours, peut-être par crainte d'en voir quelques-uns se moquer ? Pourquoi alors le dire à ce moment-là, lorsque nous ne sommes que trois ou quatre dans la salle de classe en attendant la sonnerie de reprise du cours ? Est-ce un test, une provocation ? Il se peut aussi qu'il attende une réaction, une réponse sérieuse, un développement.

Dans l'incertitude, je dissimule ; mais je m'inquiète aussi. Habituellement, nous nous entendons assez bien, je doute qu'il me défie. Je ne sais pas. La fin de la phrase est chuchotée mais elle est tout de même prononcée. Je fais semblant, comme de plus en plus souvent face à ces citations empruntées au Coran ou à la « rumeur coranique », plus ou moins vérifiée.

Je suis incapable d'approfondir cette sentence, de la prendre au sérieux et de faire mon métier. Je suis sans aucun doute ici défaillante, mais bon sang, que répondre ? Par où commencer ?

Le silence de Tarek

Quand je reprends mon cours et que Tarek est calme, apparemment attentif, comment croire qu'il écoute vraiment, qu'il comprend, qu'il adhère à mon questionnement ? Je ne sais plus qui il est. Je n'ose pas le lui demander. La question lui semblerait, du reste, tout à fait incongrue. Et comment la poser? Je fais encore semblant. Tout au long de l'année, je l'observerai sans cesse pour savoir s'il se moquait ou non de moi. Le lendemain, et le jour suivant, il a repris sa place, docile, a noté le cours, tâché d'appliquer les méthodes. Mais avec quelles intentions?

Comment procède, trie, choisit un cerveau déterminé à produire un travail auquel il n'adhère pas? La duplicité pratique, morale, n'est pas un mystère et le mensonge est universel. Mais le but de la scolarité est de structurer la pensée. Or, peut-elle se dédoubler? Peut-on scinder la structure même de la pensée? La conscience peut-elle échapper à l'unicité, à la singularité? À dix-huit ans, peut-on obéir à des dogmes théologiques et développer des principes rationnels critiques?

Retour du théologique

Il serait bien entendu hâtif et inexact d'imaginer un lien de nature entre la culture de l'islam et le rejet de la raison. Il n'est, pour s'en convaincre, qu'à se rapporter aux nombreuses découvertes rationnelles attachées au monde musulman, à commencer par les mathématiques, ce domaine de pure raison. Par ailleurs, intellectuels ou hommes politiques engagés dans les processus d'intégration, nombreux sont ceux qui représentent le monde musulman progressiste dans notre pays. Leur simple présence, leur engagement, enfin leur participation à l'évolution de notre société contemporaine offrent un démenti constant, voire un camouflet à tout amalgame, vite fait, mal fait.

Alors que dire de ces nouvelles conduites? Ces désarmantes manifestations de résistance au contenu enseigné ne peuvent être totalement déconnectées d'une certaine exclusion sociale, se manifestant concrètement par des regroupements d'enfants, partageant des origines et des références culturelles communes, au sein des mêmes cités puis des mêmes lycées. Mais ces conditions étaient identiques il y a quelques années. Les effets, non. Peut-on réellement croire qu'elles ont surgi *ex nihilo*? Sans doute serait-il moins naïf, plus raisonnable, de chercher à s'informer pour découvrir si nous avons de nouveaux concurrents, et surtout ce que disent leurs discours.

Absolument à l'opposé d'une conception religieuse du monde, la dimension critique de la philosophie suppose une démarche questionnante, n'admettant aucune croyance sans examen. En principe, rien n'échappe à son interrogation corrosive qui traque, par nature, les *a priori*, les préjugés, les partis pris et les implicites de toutes sortes.

Après le cours d'introduction, lorsque je suis parvenue à m'expliquer sur cette démarche spécifique de la philosophie comme réflexion critique, je peux m'entendre répondre : « La philosophie est mauvaise. »

Cette phrase lapidaire, accompagnée d'un hochement de tête désolé et embarrassé, est rarement commentée. Toute tentative d'engager une véritable conversation sur ce sujet est vaine.

En début d'année, certaines copies de philosophie, émaillées de références à Allah, s'appuient sur une tradition déiste jamais questionnée. Donnée comme indiscutable, elle sert de fondement à une argumentation morale apprise et récitée plus ou moins adroitement.

Retour à la confusion entre philosophie et théologie ? Je sais le maillage étroit entre les deux disciplines. Tant imbriquées au Moyen Âge qu'elles y sont indissociables. Nous avons lu les Pères de l'Église, mais il y a si longtemps que s'est imposée la raison critique.

Trois bons siècles de culture scientifique pour notre société et, en ce qui me concerne, une scolarité qui n'a jamais laissé planer le moindre doute sur la puissance de la raison. Le retour brutal du théologique sur la scène contemporaine me sidère et parfois me paralyse.

Malgré ma curiosité, l'élève se défile, s'échappe, m'abandonnant à ma regrettable ignorance et à ma volonté de comprendre.

Alors j'essaie autre chose.

Une histoire de l'Autre

C'est précisément la récurrence de ces références au Coran, un peu à tort et à travers, qui m'ont incitée à en appeler régulièrement au texte lui-même. En philosophie, les sujets ne manquent pas qui font référence à la création du monde. Les auteurs non plus. Aussi souvent que possible, j'apporte moi-même la Bible, Ancien et Nouveau Testament, les élèves sont chargés d'apporter le Coran. Nous comparons : l'épisode de la côte d'Adam, celui de l'arbre de la connaissance, de la désobéissance à Dieu, du serpent diabolique… Ces petits exercices sont généralement assez fructueux.

Ils révèlent d'abord très souvent la découverte des textes eux-mêmes, un étonnement devant la très grande similitude des écrits de la révélation, surtout à ce stade relativement superficiel ; patent aussi, le désir de réfléchir en toute tranquillité, dans le cadre de la classe, car il n'est pas sûr que ce travail de réflexion personnelle soit si fréquent. Est-il même autorisé par les guides spirituels ? On entend d'abord exprimées très rapidement les interprétations qui ont été entendues, ici ou là, puis l'intelligence tente de discerner, de faire des liens, de marquer des oppositions…

Chaque fois, l'expérience prouve que l'on peut s'entendre.

Au-delà de l'analyse elle-même, ce travail consolide les rapports de confiance. La démarche leur montre, contre tous les préjugés, que le professeur athée que je suis, accorde une place et un intérêt aux trois textes fondateurs de nos sociétés. Qu'on peut les lire sans docilité excessive, en interrogeant le sens de la même façon que nous le faisons pour n'importe quel autre texte. Qu'il ne saurait être objet, de ma part, ni de moquerie ni de mépris. Qu'il a droit de cité dans ma classe de philosophie, qu'il est à la hauteur de l'intérêt que je porte à ma propre discipline. Inutile de formuler explicitement tout cela, c'est la preuve par le fait. Même si nous n'envisageons pas de devenir de hauts exégètes en convoquant les livres révélés – toujours tous les trois – deux ou trois fois dans l'année, mon but est atteint : tâcher d'adresser un signe de reconnaissance à leur tradition religieuse et culturelle, avec le langage du professeur, celui des textes. Je ne tranche pas, qui le pourrait ? Mais chacun a porté son attention sur la tradition de l'Autre.

Nourris au lait de la raison occidentale, nous avons cru que la seule force des valeurs qu'elle imposait comme l'unique vérité devait convaincre. Notre naïveté égale notre assurance. Depuis des siècles, la science nous assure la supériorité militaire, économique, politique. Nous avons rapidement confondu ces quelques siècles avec l'éternité.

Conclusion

Après les enfants, c'est l'école elle-même qui est en souffrance. Il devient impératif de comprendre les causes profondes et générales qui la desservent et la ruinent. Des causes nouvelles et complexes. Elles tiennent autant aux caractéristiques de notre nouveau public qu'à un climat général. Social au niveau national, politique au niveau international. Il va nous falloir l'admettre, nous avons changé de siècle. Notre société du spectacle l'a dit, et fêté. Il nous reste à en prendre la mesure et la responsabilité.

Dans la transmission des savoirs, supposons que ni le transmetteur – le professeur – ni ce qui est transmis – le contenu – n'aient plus la moindre valeur aux yeux du récepteur, on comprend que toute réforme devient dérisoire. L'un de ces deux éléments, au moins, est nécessaire à l'investissement, à la motivation, au progrès ; soit la confiance accordée à celui qui transmet, soit la certitude que le contenu possède, en lui-même, une valeur. Mais il n'est pas difficile de constater qu'aucun de ces crédits ne nous est accordé d'avance. Notre fonction ne suffit plus à nous préserver.

Défaut d'autorité, diront certains. C'est oublier bien vite les effets violents d'une société qui s'est métamorphosée en quarante ans plus efficacement qu'elle ne l'avait fait durant tous les siècles précédents.

Ignorer que les premières manifestations de ces changements sont apparues avec mai 1968, en particulier dans le milieu étudiant et enseignant, c'est, une fois de plus, nier l'histoire et refuser d'en assumer les conséquences.

À l'autorité perdue ne peut se substituer un simulacre de l'autorité passée avec son cortège de vexations, d'humiliations, de mépris des enfants; sans oublier les violences verbales et physiques.

Ce n'est pas en restaurant les punitions ou les comportements agressifs que l'école recouvrera son prestige. Aucun retour en arrière – *au-temps-où-tout-allait-si-bien* –, aucun comportement passéiste, ne saura nous tirer d'affaire. Il s'agit d'inventer, d'adapter nos pratiques à une nouvelle donne, à un nouveau public.

Seule l'obéissance se décrète. Pas l'autorité. L'autorité s'impose d'elle-même.

Au mieux, elle s'inspire.

De plus en plus difficilement, peut-être, la seule bienveillance à l'égard des élèves ne suffit plus.

Nous ne pouvons pas plus nous appuyer sur le respect de la discipline enseignée. C'est le statut même de la connaissance, transmise à l'école, qui vacille.

Il y a *des* histoires véhiculant *des* savoirs, comment le nier ? L'ayant compris, comment *les* nier ?

Depuis le XIXᵉ siècle, notre société a développé tous les efforts économiques, scientifiques et technologiques pour encourager les hommes à circuler de plus en plus loin et de plus en plus vite. Devons-nous réellement être surpris de l'actualité d'une situation qui exige que nous échangions avec l'ensemble des figures de l'Autre ? Conceptions orientale, extrême-orientale, africaine, asiatique, devons-nous définitivement fermer portes et fenêtres ou attendre naïvement qu'elles disparaissent au profit de la nôtre ? Ou l'inverse ?

Que dit de nous cet obsidional repli sur soi ?

Passé le temps de la surprise, la stupéfaction et le désarmement ne suffisent plus quand la contestation du savoir rationnel nous est opposée. Nous ne pouvons plus regarder l'Autre « du dehors ».

Devons-nous découvrir que ces enfants, le plus souvent nés en France, sont les nôtres ? Ils ont grandi dans nos cités, ont été éduqués dans nos écoles et, à tout le moins, à ce titre ne nous sont pas étrangers. Même s'ils contestent notre mode de vie occidental et réprouvent parfois notre modèle de société matérialiste. N'avons-nous pas, en notre temps, méprisé celui que nos aînés nous proposaient ?

Il n'est pas exclu qu'on puisse préférer des valeurs spirituelles ou religieuses à une société ayant sacralisé la circulation monétaire. Une option peu propice à enthousiasmer les jeunes gens. On peut, en tout cas, délibérément choisir une autre voie. Nous ignorons le véritable sens du désaccord de ces élèves en formation. Notre rôle n'est-il pas d'abord – et ce serait déjà beaucoup – d'aller à leur rencontre pour les aider à réussir leur scolarité ? C'est-à-dire à se construire une identité qui n'est jamais donnée d'avance. Pas plus aujourd'hui qu'hier.

Depuis le début du XXe siècle, la mission de l'école n'a jamais connu de plus lourds et de plus manifestes enjeux. Elle est sans doute la seule institution en mesure d'intervenir directement, peut-être efficacement, sur une situation que semblent ignorer tous les autres représentants de la société, civile ou politique.

Une fois l'émotion passée de voir vaciller le bel édifice du savoir rationnel, soyons donc à la hauteur de ce que nous refusons de voir contester. Nous ne pourrons éviter de prendre quelque distance avec la belle assurance garantie par la raison et le déterminisme scientifique et technique.

Avons-nous entendu quelques-uns de nos maîtres montrer les limites de la raison quand elle se fait dominatrice ? Sa tyrannie, ses ravages, sa surdité à toute autre expression humaine qu'elle-même ?

Bien après les Pères de l'Église, qui déjà cherchaient un au-delà de l'intelligence rationnelle, Nietzsche, à son tour, dénonce la raison. Il a tout juste vingt-cinq ans, mais aperçoit les dévastations dont elle est capable quand elle refuse d'entendre ce que le corps et le cœur murmurent. À travers la figure de Socrate, dans *La Naissance de la tragédie*, il accusera la raison, habile à maîtriser et donc à dominer, de ruiner la sensibilité, le goût pour l'art et la création. En un mot, l'équilibre fragile de ce qu'il nomme la *dissonance incarnée*. C'est ainsi qu'il décrit l'homme. Une tension permanente entre deux pôles antagonistes et nécessaires. L'un pour éprouver l'infinie profondeur et permanence de l'être, l'autre pour se consoler de l'affligeante contingence individuelle.

Obstacle définitif à une appréhension profonde et véritable du monde et de nous-même. La raison saurait donc, paradoxalement, nous rendre étranger à nous-même.

Que la raison ait produit les fondements laïques de nos républiques, ainsi que des avancées scientifiques admirables, c'est indiscutable.

Mais Foucault, après Nietzsche, en montrera aussi le pouvoir coercitif. C'est la démiurgie de la raison, son pouvoir, visible et invisible, que sa pensée démasquera à travers l'étude des discours dominants auxquels la raison ne saurait échapper. Il a montré les liens ténus entre les différents *savoirs*, produits de la raison, et le *pouvoir* chargé de surveiller et punir.

La raison prétend dire le vrai, elle ordonne l'adhésion.

Son *Histoire de la folie* illustre historiquement cette dimension péremptoire du discours officiel et rationnel qui exclut et refuse de reconnaître l'autre versant de soi.

Pour éviter ses pièges archaïques et grossiers, dénoncés depuis plus d'un siècle, pour échapper à sa logique oppressive, choisissons donc ses capacités à saisir ses propres limites et à les dépasser.

Laissons les conflits, les affrontements au terrain politique et guerrier. Qu'ont-ils à faire dans nos établissements? Nous ne saurions devenir les belligérants d'une bataille contre nos élèves.

Alors que faire? S'autoriser à proposer des ouvertures sans s'abîmer ni dans l'arrogance ni dans l'insuffisance? Improbable. Tant pis. Enseigner, c'est donner cours chaque jour. Chaque jour proposer des conceptions historiques, scientifiques, philosophiques, qui reflètent notre histoire depuis si longtemps que bien des efforts sont nécessaires pour tenter de nous en distancer.

Mais nous n'avons pas le choix.

Nous devons admettre que la vraie puissance de l'école républicaine et laïque tient à sa capacité à reconnaître l'altérité pour échapper au sectarisme de la pensée. Une opposition frontale serait aussi vaine et dangereuse que stupide. Le devenir de l'école en dépend.

Poser nos valeurs, surtout implicitement, comme incontestables, universelles et indiscutables nous interdit d'entendre la diversité des autres conceptions du monde et de l'homme.

Reconnaître et assumer la diversité dans laquelle nous vivons et travaillons ne nous dispense nullement de défendre les valeurs de la laïcité républicaine.

Rien ne nous contraint à abandonner nos propres principes pour en embrasser d'autres. Entendre n'est pas épouser.

Mais nous ne pourrons nous dispenser de les déconstruire pour en reconstituer la genèse et rapporter la lumière des fondements, des sources et les raisons de nos choix. Seul moyen de les transmettre. Loin de les mettre en pièces ou de les oublier, il s'agit de les légitimer.

Ce travail accompli, le premier devoir de l'école demeure d'exiger le respect pour l'enseignement proposé et pour ses professeurs. Nous devons refuser définitivement le mépris de ceux qui posent leur civilisation ou leur culture comme supérieure; mais également la culpabilité d'un passé colonial révolu qu'il nous appartient d'expliciter.

Devenir un sujet, c'est-à-dire s'autodéterminer, suppose à la fois l'exercice de l'esprit critique et la capacité d'être singulièrement responsable de chacun de ses choix. Pourquoi ne saurions-nous pas l'enseigner si nous le pratiquons nous-mêmes?

« Bienvenue dans un monde-miroir où chacun se reflète dans les yeux des autres, sans crainte de s'y noyer. »

Slogan réducteur, séducteur, ou réel objectif pour une école rénovée? Une belle utopie concrète en tout cas pour ceux qui s'apprêtent à nous succéder.

En vivant à l'étranger, j'ai appris à être française. Tout ce qui me paraissait aller de soi s'en est allé. L'impensable est devenu possible. L'évidence de la raison raisonnée et raisonnante a disparu. Elle m'est revenue comme un choix.

Heurtée très jeune par la violence, mes ambitions révolutionnaires, déjà plutôt médiocres, ont été encore revues à la baisse. Devant l'immensité de ma petitesse, je me suis concentrée sur mon ouvrage au quotidien. Éduquer les enfants est un moyen efficient de participer à l'élaboration du sujet. Sans doute le plus propre à générer l'espoir.

Notre travail est plus difficile ? Les professeurs sont fatigués, dit-on ? C'est vrai.

Restent tous ces instants d'orgueil où l'on ne renonce pas.

Lettre à ma prof

Au moment où je remets ce manuscrit, je reçois, après deux années de silence, cette lettre de Nadia. Elle dit le chemin parcouru, comme le signe d'une vraie raison de poursuive.

Le 17 septembre 2004

Chère Carole,

Quel cheminement !

Il y a bien longtemps que je n'ai pas échangé avec vous. Cela étant, j'ai un souvenir qui me revient en tête (…). Mais par-dessus tout, un mot que j'entends pour la première fois : liberté, un choc !

Un mot que je n'ai jamais oublié depuis, que j'ai mis dans une partie de ma tête sans savoir quoi en faire. Quoi faire de cette lanterne qui risquait à l'époque de détruire tous mes repères. Elle est devenue mon obsession et comme un archéologue patient je m'installe devant le miroir de mon être et cherche au fond de moi des outils sans faille pour me battre et retrouver ce qui fera mon envol. Cet acharnement continu révèle la volonté de tout être qui a au fond de lui le désir de vivre pour soi selon soi. Mais cette liberté dont vous parliez m'a déroutée parce que chaque jour je découvrais en moi une idée conditionnée. Alors liberté sans son joli symbole s'est inscrite dans mon évolution et comme un metteur en scène je réalise ma vie, mon spectacle. Table rase, non! plutôt un désir de vie qui met en scène une histoire et son évolution, une mémoire de culture et une société. Le devenir d'un être qui vient de comprendre que l'arbre de ses pensées et de sa liberté n'attendait qu'un statut pour s'enraciner et grandir. Et ce statut n'est que sociologique. S'inscrire dans une société, dans une communauté, dans un processus d'intégration sans vivre et exister par la mémoire des autres.

Héritage culturel, quelle belle expression. Parlez-moi de ce pays, dites-moi ses splendeurs et ses poésies. Ne me laissez pas croire ce que je garde de lui. Des nostalgies obscures et mensongères qui empêchent l'intégration et le bonheur de mes parents. Ce qui est fantastique dans cette histoire c'est qu'aucune excuse n'est valable pour justifier nos actes sans morale. Rappelez-moi société quelle est votre morale et sur quoi elle se fonde ? Algérie qu'en est-il de toi, j'ai tant entendu tes odeurs ? Mémoire algérienne je ne t'aime pas, tu exprimes la fantaisie folle des bagarres violentes de ces soirs où je ne dors pas. Tes tagines et tes jolies robes ne me suffisent pas pour garder une once de tes origines. Et quand on me demandera d'où je viens je dirai je viens de là où je vais. Voilà tout, tant que l'histoire ne réparera tes douleurs et tes plaies. Et mon visage il portera les rides d'une femme qui se bat pour appartenir à une histoire en devenir. Oublions ces yeux marron qui ne veulent rien dire. Il me reste une peur, celle d'être sans compassion, que cette lutte douloureuse installe en moi une haine qui ne permette à personne de pleurer sur mon épaule pour justifier quoi que ce soit. Héritage culturel, mémoire collective et individuelle deviendront dorénavant les esclaves de mes choix et de mes décisions. Utopique ? je ne sais pas mais aucun empire ne s'est construit sans utopie.

Et si vous me condamnez de n'être qu'une rêveuse utopique, alors ne restez pas spectateur de toutes ces guerres fondées sur des idéologies. Et si tout guerrier a ses causes à défendre, moi je tente juste de faire la paix avec ma terre. Cela est ridicule, n'est-ce pas ? mais l'exclusion n'existe que par rapport à soi-même. Voilà comment un cours de philosophie sur la liberté peut nous amener à diriger notre vie, à éviter que la misère et la douleur déterminent notre existence. Une égalité s'est installée parmi nous ce jour-là, dans cette classe, c'est que nous étions tous libres. Notre vie est une toile vierge où l'on inscrit ses propres couleurs. La liberté n'est plus un fait pour moi, elle est devenue un travail, un processus qui me rappelle que chaque peur peut m'amener à éteindre le plateau et ranger les costumes pour laisser la mémoire de l'autre guider ma vie.

Nadia

Postface à l'édition de poche

Les nombreux cercles de réflexion qui se sont emparés de la première édition de ce témoignage ont montré combien l'ensemble de la société s'inquiète de son école et tente constamment d'en examiner et d'en comprendre les enjeux.

Qu'il s'agisse de l'ensemble des médias ou des milieux professionnels de l'éducation – universités, pôles de recherche, sphères administrative ou syndicaliste – les réactions individuelles spontanées autant que les débats organisés montrent à la fois l'intérêt du public et la difficulté à renverser les termes familiers des controverses scolaires.

Qu'il me soit ici permis de préciser mon interrogation et d'éclaircir mes propos pour échapper à deux grandes méprises.

Tout d'abord la confusion entre partage des valeurs d'une société – voire d'une culture – et difficulté à transmettre les contenus de savoirs; et, par suite, l'évocation d'une supposée stigmatisation des élèves.

Les nombreux débats auxquels il m'a été donné de participer ont souvent posé la question – par ailleurs récurrente – de la *difficulté à transmettre.*

Depuis plusieurs années, les réflexions fleurissent sur une éventuelle difficulté des élèves à absorber les contenus de savoir. Les chercheurs et pédagogues qui se sont attelés à cette tâche sont nombreux. Ils ont pointé, le plus souvent à juste titre, les éléments les plus efficients d'une rapide modification sociale : dévalorisation du statut des professeurs ainsi que du savoir dit *académique,* tous deux accompagnés de la déstabilisation de leur autorité ; généralisation du comportement de zapping, concurrence déloyale d'une télévision surconsommée et, de plus en plus, multiplicité quasi infinie des sources d'information. Tous ces paramètres ont une part de responsabilité dans le vacillement des fondations de l'école. Mais le problème central de ce texte n'est pas là, même s'il en est, sans doute, l'une des conséquences.

Il ne s'agit pas d'avoir perdu l'attention, le respect, voire l'admiration des élèves, individuellement, tout cela peut encore arriver. Le véritable sujet de mon trouble porte sur la confiance. Insoupçonnable de laxisme, ou de démagogie, Hegel en rappelait déjà la nécessité dans son *Discours du 2 septembre 1811* : « Qu'instruit au sein de la communauté qu'il forme avec plusieurs, il [l'individu] apprend à tenir compte d'autrui, à faire confiance à d'autres hommes qui lui sont tout d'abord étrangers et à avoir confiance en lui-même vis-à-vis d'eux, il s'engage ainsi dans la formation et la pratique de vertus sociales… »

Il m'arrive de penser que cette impérative confiance, muée aujourd'hui en une méfiance systématique, est tout entière à reconquérir.

Confiance en une formation qui serait utile à la vie professionnelle ? Les difficultés à l'embauche, avec ou sans diplôme, la rendent hasardeuse.

Confiance en un contenu de savoir véhiculant la vérité ? La multiplicité des sources d'informations vient la frapper d'un doute soupçonneux.

Confiance dans une transmission des valeurs explicites et implicites ? Le retour à des références culturelles et religieuses différentes et diversifiées la rend contestable.

Plus, ce sont les moments clés de l'histoire de la raison qui peuvent être silencieusement remis en question. Ceux qui déterminent l'idée que l'homme se fait de lui-même et du monde qui l'entoure. Qu'il s'agisse de Galilée au XVIe siècle, portant des jugements de vérité scientifique en contradiction avec la révélation (tout comme Darwin un peu plus tard) ; de Descartes au XVIIe, établissant la raison comme universelle et, en dernière analyse, seule capable de découvrir la vérité ; des Lumières au XVIIIe, légitimant l'égalité de droit pour tous les hommes (y compris les femmes) ; ou de Freud au XIXe, attestant d'une part incontrôlable de notre psychisme.

Autant de points balisés sur le chemin de la connaissance dont nous nous réclamons, que nous revendiquons, et qui, peu ou prou, placent l'enseignement – philosophique au moins – sous le signe de la raison et par extension de la laïcité, en tant qu'elle suppose un système indifférent au pouvoir des églises ; en tant qu'elle affirme l'indépendance de toute influence religieuse.

On est loin de l'analyse d'une difficulté liée à des processus cognitifs.

Je ne considère pas ici la dissociation absolue du savoir et de la religion comme contestable, mais comme parfaitement justifiable. Cette séparation demande peut-être aujourd'hui à être légitimée par les professeurs. Cette option, délibérément choisie par la majorité de nos penseurs comme un engagement, doit sans doute être explicitée, voire, tout simplement, expliquée à des élèves pour qui cela ne va plus de soi.

Il me semble que nous devons seulement prendre en compte un nombre croissant d'élèves troublés par leur propre pluriculturalité et perdus dans une école qui semble tolérer les manifestations ponctuelles de la religion (contraintes alimentaires, calendrier religieux) mais ignore que, chez certains de ces enfants, les croyances religieuses ne peuvent – ou ne veulent – s'arrêter au seuil de la cantine. La conduite apparemment tolérante de quelques-uns d'entre nous cache parfois une abyssale indifférence à l'égard de l'autre et de son altérité.

Les professeurs doivent s'interdire d'ignorer que les élèves refusent de s'approprier les connaissances. Quelles que soient les causes : difficulté à opérer la synthèse de ces déterminations culturelles ou volonté particulière de tel ou tel, la mission des professeurs est d'abord d'analyser puis de porter à la connaissance des élèves les *présupposés* du savoir qu'ils véhiculent. C'est peut-être là, exactement, que se trouve la distinction essentielle entre un maître laïque et un maître religieux.

La seconde méprise, plus rare, mais qui mérite qu'on s'y arrête comme à l'une des causes majeures du constat ici établi, est celle de la prétendue *stigmatisation* de ces élèves.

S'il s'était agi, en effet, de défendre l'idée que les enfants de ZEP sont incapables de saisir les finesses de la réflexion philosophique, on comprend qu'il pourrait être question d'épingler, « d'afficher » comme disent les élèves, de *stigmatiser* enfin, certaines classes ineptes, malhabiles à saisir la subtilité des propos du professeur.

Mais rien de tout cela.

Le malaise éprouvé à l'évocation de notre public de ZEP, les résistances au vocabulaire : « familles immigrées ou issues de l'immigration », « élèves d'origine maghrébine », « enfants musulmans », illustrent déjà notre propos. Nous sommes en délicatesse avec le sujet, alors nous l'évitons.

Autant d'expressions impossibles à prononcer sans être soupçonné de féroces intentions. L'interdit posé sur ces termes – proprement tabous – dans certains milieux institutionnels et/ou politiques, condamne à la fois la réflexion et la reconnaissance.

Ce vocabulaire historique, géographique, descriptif, choque comme s'il osait désigner ce qui ne doit pas l'être. Tant qu'elle n'est pas dite, la chose n'existe pas.

Même si nous leur reconnaissons, de fait, de singulières caractéristiques, notre société a postulé qu'elles sont sans effet sur l'accès au savoir.

Plus simple de mettre tout, pêle-mêle, dans le même grand sac de la généreuse république. Tous les enfants sont les mêmes, aucune raison de s'adapter. Le public scolaire est immuable, semblable ici et ailleurs, en ZEP ou dans les lycées parisiens. Si parfois on tente une comparaison, mieux vaut la garder pour soi. Ne rien toucher, ne rien bouger, jamais.

L'identification des différences individuelles entraîne-t-elle la disparition de la commune humanité ? Pour quelle mystérieuse raison, par quel sous-entendu dérangeant ?

L'innomé serait-il l'innommable ?

Est-ce cette naïve indifférence, cette disparition, cette suppression qui a conduit à la publication de « L'appel des Indigènes de la République » ?

Faut-il voir dans cet appel rageur, excessif, provocateur, irrecevable par une société démocratique, un effet boomerang de notre silence ?

La stigmatisation n'est pas mon fait, pourtant c'est bien de ces enfants que je souhaite parler. Nous devons comprendre et expliquer les mécanismes qui les guident et les animent. Il nous faut refuser la rupture qu'ils cherchent parfois à provoquer et, pour ce faire, sortir d'une passivité plus ou moins bon enfant, détachée ou effrayée, devant le rejet ou l'indifférence à notre enseignement.

Ceux-là sont les élèves qu'on me confie, ceux que je veux reconnaître, dans leurs dissemblances comme dans leurs similitudes.

Qui sont-ils, quelle est leur démarche ?

Par crainte de voir émerger ces questions problématiques, devons-nous nier qu'ils cherchent parfois à s'extraire d'une culture officielle en s'inventant une origine mythique, élogieuse ou misérable, que les deux s'entremêlent pour donner naissance sinon à une origine de rêve, du moins à un rêve des origines permettant de restaurer une dignité culturelle ?

C'est notre fonction essentielle que de rendre à chacun les chemins de sa liberté en utilisant tous les outils du savoir à notre disposition, à commencer par les mots eux-mêmes.

L'universalisme républicain, revendiqué à juste titre par l'école, n'implique nullement l'ignorance, la suppression, la négation des différences culturelles ni des évolutions historiques de chaque groupe humain appelé à rencontrer les autres dans nos pays-carrefours, mais il suppose la reconnaissance d'une hiérarchie entre, d'une part, les caractères communs essentiels et, d'autre part, les conceptions différenciées secondaires.

La difficulté reste, pour l'école, de re-définir ce que sont ses objectifs, ses lignes directrices, ces indépassables valeurs capables de réaffirmer notre but commun.

Le savons-nous encore ? Est-ce la question elle-même qui nous effraie ?

Si Nadia a raison, et que « *l'exclusion n'existe que par rapport à soi-même* », alors l'école ne peut s'exonérer de la pensée en mouvement au prétexte d'être si définitivement *fondée* que, comme le chêne, elle ne saurait ployer.

Table des matières

LIANA LEVI ✏ *piccolo*

Romans policiers

Achevé d'imprimer en août 2005
dans les ateliers de Normandie Roto Impression s.a.s.
N° d'impression : 05-2036
Dépôt légal : août 2005

Imprimé en France